사고력 수학
전문가가 만든

원리셈

모아 세기

지은이의 말

수학은 원리로부터

수학은 구체물의 관계를 숫자와 기호의 약속으로 나타내는 추상적인 학문입니다. 이 점이 아이들이 수학을 어려워하는 가장 큰 이유입니다. 이러한 수학은 제대로 된 이해를 동반할 때 비로소 힘을 발휘할 수 있습니다. 수학은 어느 단계에서나 원리가 가장 중요합니다.

수학 교육의 변화

답을 내는 방법만 알아도 되는 수학 교육의 시대는 지나고 있습니다. 연산도 한 가지 방법만 반복 연습하기 보다 다양한 풀이 방법이 중요합니다. 교과서는 왜 그렇게 해야 하는지 가르쳐 주고 다양한 방법을 생각하도록 하지만, 학생들은 단순하게 반복되는 연습에 원리는 잊어버리고 기계적으로 답을 내다보니 응용된 내용의 이해가 부족합니다.

연산 학습은 꾸준히

유초등 학습 단계에 따라 4권~6권의 구성으로 매일 10분씩 꾸준히 공부할 수 있습니다. 원리와 다양한 방법의 학습은 그림과 함께 재미있게, 연습은 다양하게 진행하되 마무리는 집중하여 진행하도록 했습니다. 부담 없는 하루 학습량으로 꾸준히 공부하다 보면 어느새 연산 실력이 부쩍 늘어난 것을 알 수 있습니다.

개정판 원리셈은

동영상 강의 확대/초등 고학년 원리 학습 과정 강화 등으로 원리와 개념, 계산 방법을 더 쉽게 이해할 수 있도록 하고, 연습을 강화하여 학습의 완성도를 더했습니다.

학부모님들의 연산 학습에 대한 고민이 원리셈으로 해결되었으면 하는 바람입니다.

지은이 천종현

원리셈의 특징

✅ **원리셈의 학습 구성**

한 권의 책은 매일 10분 / 매주 5일 / 4주 학습

✅ **원리셈의 시나브로 강해지는 학습 알고리즘**

키즈 원리셈은

시작은 원리의 이해로부터, 마무리는 충분한 연습과 성취도 확인까지

✅ **체계적인 학습 구성**

쉽게 이해하고 스스로 공부!
실수가 많은 부분은 별도로 확인하고 연습!
주제에 따라 실전을 위한 확장적 사고가 필요한 내용까지!
원리로 시작되는 단계별 학습으로 곱셈구구마저 저절로 외워진다고 느끼도록!

원리셈 전체 단계

 ## 키즈 원리셈

5·6 세
1권	5까지의 수
2권	10까지의 수
3권	10까지의 수 세어 쓰기
4권	모아 세기
5권	빼어 세기
6권	크기 비교와 여러 가지 세기

6·7 세
1권	10까지의 더하기 빼기 1
2권	10까지의 더하기 빼기 2
3권	10까지의 더하기 빼기 3
4권	20까지의 더하기 빼기 1
5권	20까지의 더하기 빼기 2
6권	20까지의 더하기 빼기 3

7·8 세
1권	7까지의 모으기와 가르기
2권	9까지의 모으기와 가르기
3권	덧셈과 뺄셈
4권	10 가르기와 모으기
5권	10 만들어 더하기
6권	10 만들어 빼기

 ## 초등 원리셈

1학년
1권	받아올림/ 내림 없는 두 자리 수 덧셈, 뺄셈
2권	덧셈구구
3권	뺄셈구구
4권	□ 구하기
5권	세 수의 덧셈과 뺄셈
6권	(두 자리 수)±(한 자리 수)

2학년
1권	두 자리 수 덧셈
2권	두 자리 수 뺄셈
3권	세 수의 덧셈과 뺄셈
4권	곱셈
5권	곱셈구구
6권	나눗셈

3학년
1권	세 자리 수의 덧셈과 뺄셈
2권	(두/세 자리 수)×(한 자리 수)
3권	(두/세 자리 수)×(두 자리 수)
4권	(두/세 자리 수)÷(한 자리 수)
5권	곱셈과 나눗셈의 관계
6권	분수

4학년
1권	큰 수의 곱셈
2권	큰 수의 나눗셈
3권	분모가 같은 분수의 덧셈과 뺄셈
4권	소수의 덧셈과 뺄셈

5학년
1권	혼합 계산
2권	약수와 배수
3권	분모가 다른 분수의 덧셈과 뺄셈
4권	분수와 소수의 곱셈

6학년
1권	분수의 나눗셈
2권	소수의 나눗셈
3권	비와 비율
4권	비례식과 비례배분

키즈 원리셈의 단계별 학습 목표

초등학교 입학 준비는 키즈 원리셈으로!!

키즈 원리셈 단계를 고를 때는 아이의 배경지식에 따라 아래의 학습 목표를 참고하세요.

◉ 5·6세 단계

수와 연산을 처음 접하는 아이들을 위한 단계
수를 익히고, 덧셈, 뺄셈을 이해
덧셈, 뺄셈 기호는 나오지 않지만, 덧셈, 뺄셈의 상황을 그림으로 제시
필기를 최소화 / 붙임 딱지 이용
매주 마지막 5일차에는 재미있게 사고력 키우기 "사고력 팡팡 "

◉ 6·7세 단계

10까지의 수를 알지만 덧셈, 뺄셈을 처음 하는 아이들을 위한 단계
1에서 20까지의 수를 익히면서 더하기 빼기 1, 2, 3
수를 똑바로 세면 덧셈, 거꾸로 세면 뺄셈이라는 것을 이해하고 연산에 이용
수 세기를 먼저 배운 후, 같은 개념을 덧셈, 뺄셈에 적용
10이 넘어가는 덧셈도 받아올림을 하는 것이 아니라 수의 순서로 이해

◉ 7·8세 단계

한 자리 덧셈, 뺄셈의 개념은 있지만 연습이 필요한 아이들을 위한 단계
초등 1학년 1학기 교과에 해당하는 내용
가르기와 모으기를 충분하게 연습하면서 속도와 정확성을 올릴 수 있는 단계
1권~4권은 가르기와 모으기를 연습한 후 덧셈, 뺄셈의 개념으로 확장하여 연습
5권은 받아올림, 6권은 받아내림의 원리를 아주 쉽게 풀어놓아서 받아올림과 받아내림을 처음 배우는 아이들에게 강추!!

5·6세 단계 구성과 특징

수를 처음 공부하는 단계입니다. 붙임 딱지를 붙이고, 그림을 보고 구체물을 세면서 놀이하듯 수를 익힙니다.
총 6권 중 2권까지는 숫자를 연필로 쓰지 않고 붙임 딱지를 이용하고 3권부터는 숫자를 쓰도록 합니다.

원리

그림을 보며 붙임 딱지를 붙이거나 ○를 그리면서 자연스럽게 수를 셀 수 있도록 하였습니다.

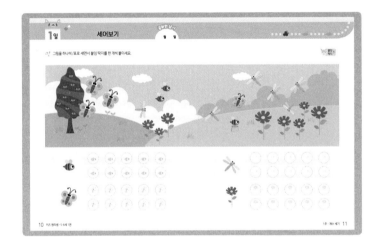

연습

손가락 세기, 엘리베이터의 버튼 붙이기 등 아이가 생활 속에서 쉽게 떠올릴 수 있는 소재들을 활용하여 다양하게 공부합니다.

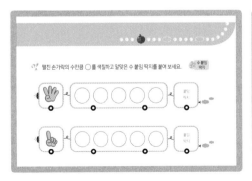

사고력 팡팡

매주의 마지막 5일차는 재미있게 사고력을 키울 수 있는 사고력 팡팡을 진행합니다. 수를 처음 배우는 단계이므로 어려운 내용보다는 직관적이고 재미있게 해결할 수 있도록 구성하였습니다.

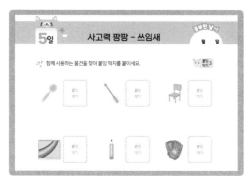 

붙임 딱지

수를 처음 배우는 아이들이 붙임 딱지를 붙이면서 재미있게 수를 익힐 수 있도록 하였습니다.

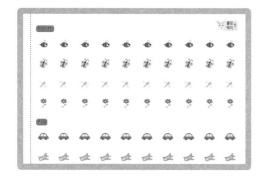

성취도 평가

개념의 이해와 연산의 수행에 부족한 부분은 없는지 성취도 평가를 통해 확인합니다.

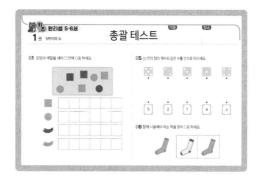

☑ 책의 사이사이에 학생의 학습을 돕기 위한 저자의 내용을 잘 이용하세요.

📚 단원의 학습 내용과 방향

한 주차가 시작되는 쪽의 아래에 그 단원의 학습 내용과 어떤 방향으로 공부하는지를 설명해 놓았습니다.
학부모님이나 학생이 단원을 시작하기 전에 가볍게 읽어 보고 공부하도록 해 주세요.

📚 이해를 돕는 저자의 동영상 강의

공부를 시작하기 전에 표지의 QR코드를 확인하세요. 책의 학습 흐름과 목표, 그리고 그동안 원리셈을 먼저 공부
한 아이들이 겪은 어려움에 대한 대처 방안 등을 설명해 줍니다.

학습 동영상

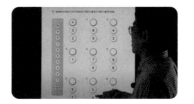

📘 학습 Tip   간략한 도움글은 각 쪽의 아래에 있습니다.

☑️ 천종현수학연구소 네이버 카페와 홈페이지를 활용하세요.

카페와 홈페이지에는 추가 문제 자료가 있고, 연산 외에서 수학 학습에 어려움을 상담 받을 수 있습니다.

네이버에서 **천종현수학연구소**를 검색하세요.

모아 세기

두 가지를 함께 세는 것을 공부합니다. 둘을 함께 세는 덧셈의 개념을 쉽게 익히는 단계입니다. 이 책의 사고력 팡팡은 비교하기를 주제로 하고 있습니다. 5일차에서는 제일 먼저 여러 가지 비교하는 말을 알아봅니다.

5까지의 두 가지의 개수

🐾 두 가지 구슬의 개수를 함께 세어 수를 쓰세요.

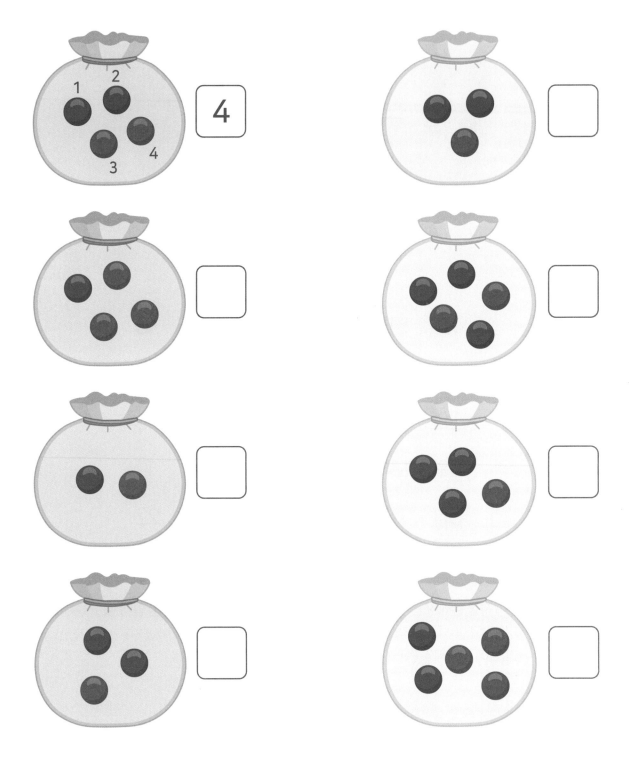

두 가지 구슬의 개수를 함께 세어 수를 쓰세요.

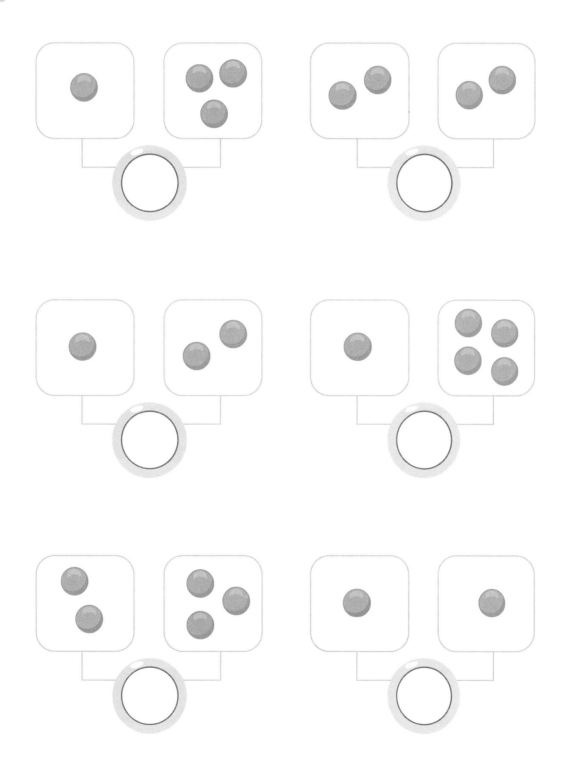

두 가지 과일을 한 바구니에 담으면 모두 몇 개인지 수를 쓰세요.

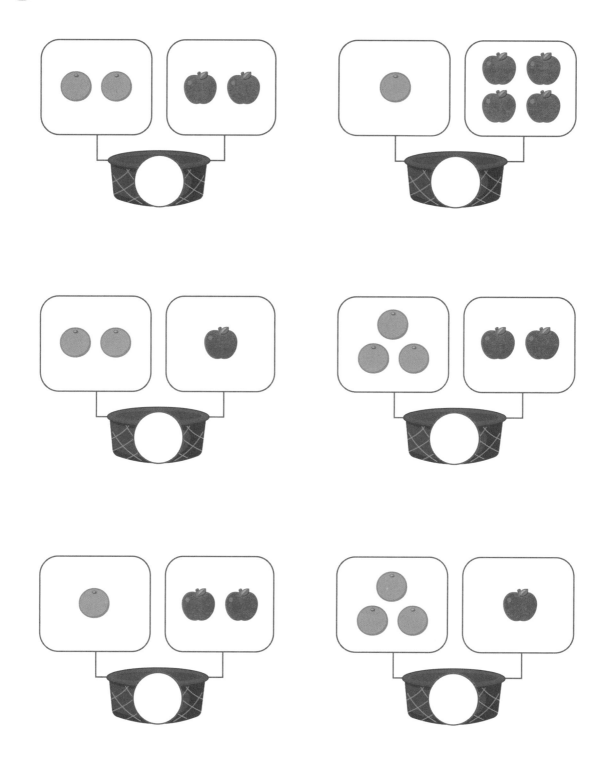

10까지의 두 가지의 개수

두 가지 구슬을 함께 세어 수를 쓰세요.

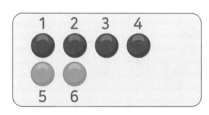

두 가지 색의 개구리를 함께 세어 수를 쓰세요.

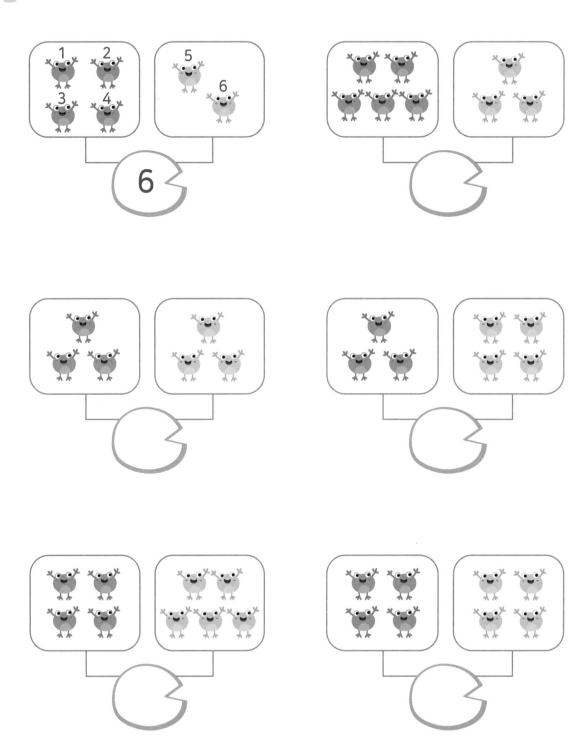

두 가지 사탕을 한 바구니에 담으면 모두 몇 개인지 수를 쓰세요.

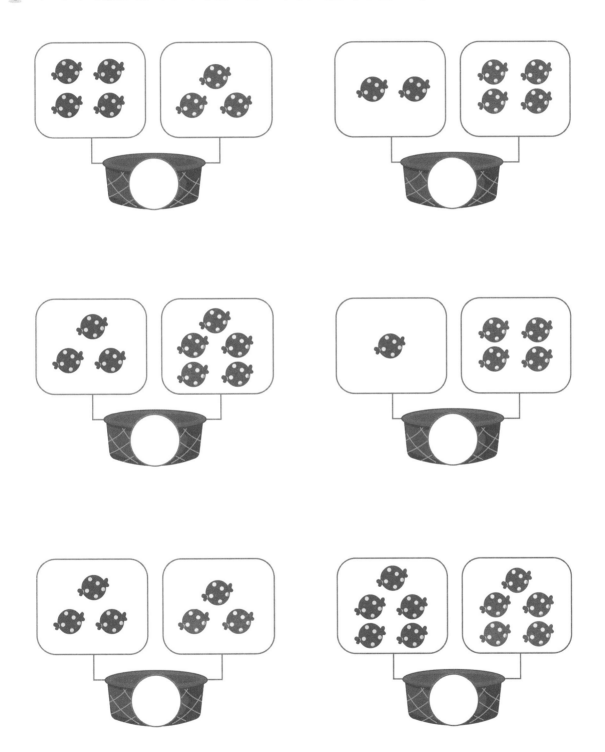

🐱 원숭이가 먹은 바나나의 껍질과 남은 바나나를 보고 처음에 있던 바나나의 개수를 쓰세요.

친구가 먹은 사탕의 껍질과 남은 사탕을 보고 처음에 있던 사탕의 개수를 쓰세요.

구슬을 세어 ◯표 하세요.

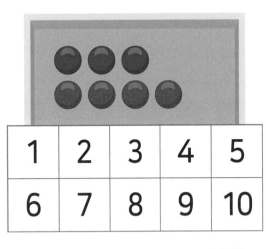

1	2	3	4	5
6	7	8	9	10

1	2	3	4	5
6	7	8	9	10

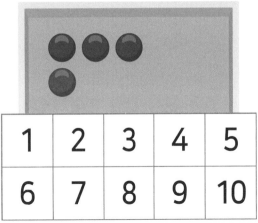

1	2	3	4	5
6	7	8	9	10

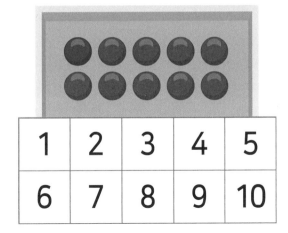

1	2	3	4	5
6	7	8	9	10

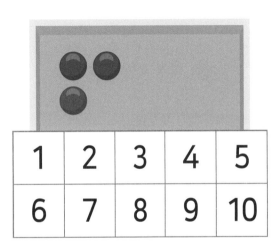

1	2	3	4	5
6	7	8	9	10

1	2	3	4	5
6	7	8	9	10

4일

모두 몇 개일까요?

🎵 엄마와 함께 문제를 읽고 알맞은 수를 써 보세요.

⭐ 2발 자전거가 2대, 3발 자전거가 3대 있어요. 자전거는 모두 몇 대일까요?

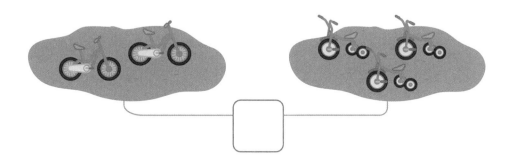

⭐ 연필이 1자루, 색연필이 3자루 있어요. 연필과 색연필은 모두 몇 자루일까요?

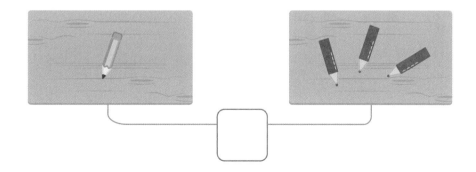

⭐ 빨간색 컵이 2개, 파란색 컵이 2개 있어요. 컵은 모두 몇 개일까요?

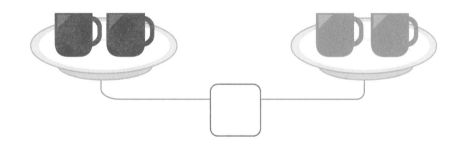

💡 엄마와 함께 문제를 읽고 알맞은 수를 써 보세요.

⭐ 파란 구슬이 3개, 초록 구슬이 3개 있어요. 구슬은 모두 몇 개일까요?

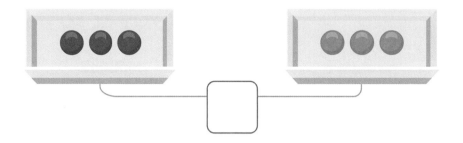

⭐ 동물원에 기린이 5마리, 코끼리가 5마리 있어요. 기린과 코끼리는 모두 몇 마리일까요?

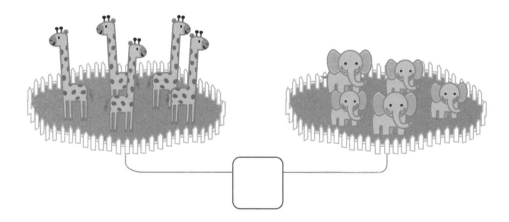

⭐ 농구공이 2개, 야구공이 5개 있어요. 공은 모두 몇 개일까요?

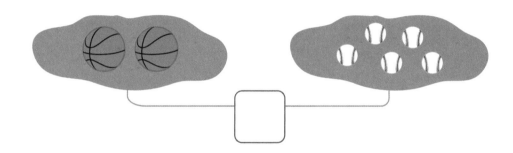

🐛 엄마와 함께 문제를 읽고 알맞은 수를 써 보세요.

⭐ 불가사리가 3개, 조개가 5개 있어요. 불가사리와 조개는 모두 몇 개일까요?

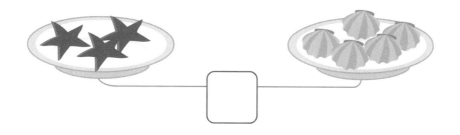

⭐ 우리에 사자가 5마리, 호랑이가 4마리 있어요. 사자와 호랑이는 모두 몇 마리일까요?

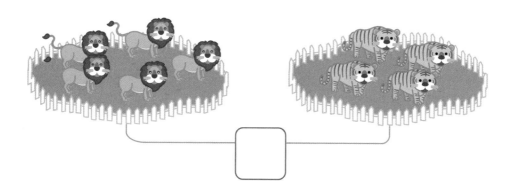

⭐ 연필이 1자루, 지우개가 5개 있어요. 연필과 지우개는 모두 몇 개일까요?

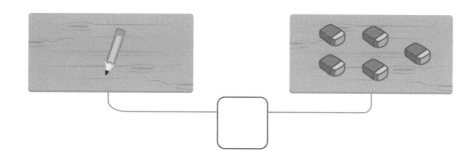

숲속 동물들이 여러 가지를 비교하고 있어요.

더 긴 뱀에 ◯표,
더 짧은 뱀에 △표 하세요.

더 큰 동물에 ◯표,
더 작은 동물에 △표 하세요.

더 넓은 책에 ◯표,
더 좁은 책에 △표 하세요.

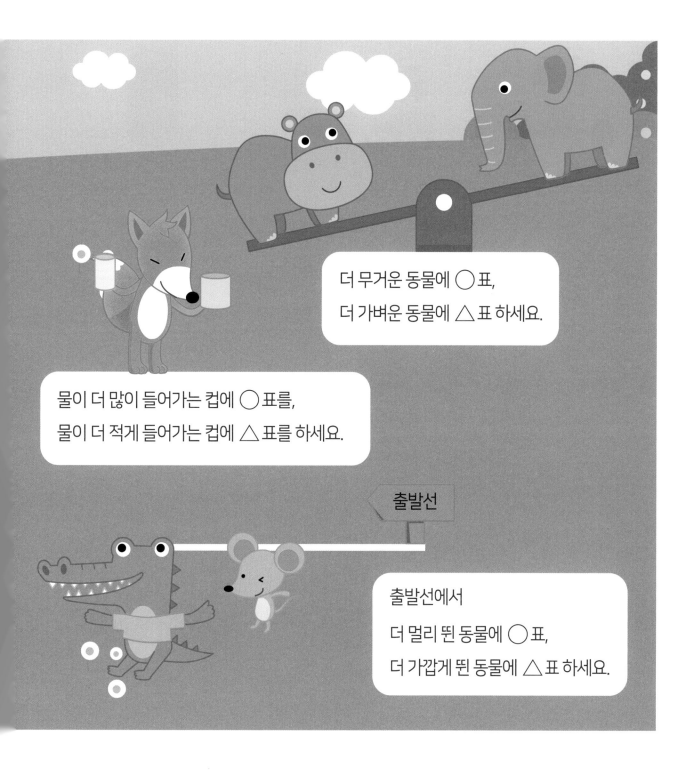

더 무거운 동물에 ◯표,
더 가벼운 동물에 △표 하세요.

물이 더 많이 들어가는 컵에 ◯표를,
물이 더 적게 들어가는 컵에 △표를 하세요.

출발선

출발선에서
더 멀리 뛴 동물에 ◯표,
더 가깝게 뛴 동물에 △표 하세요.

그림과 어울리는 말을 선으로 이으세요.

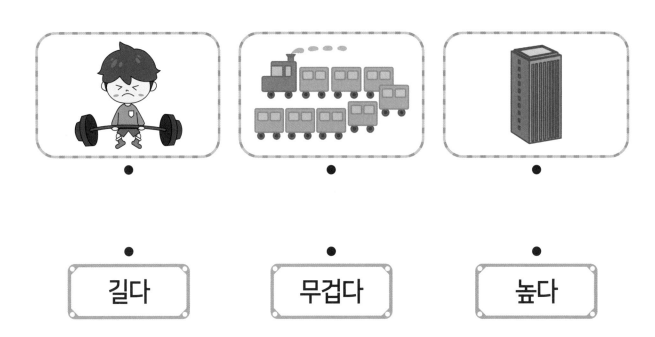

| 길다 | 무겁다 | 높다 |

다음 말과 어울리는 것을 말해 보세요.

Tip

'크다'와 어울리는 것을 말하면 왜 그렇게 생각하는지를 물어 봐 주세요. 키, 덩치, 들이, 부피 등 '크다'는 여러 가지 경우에 사용할 수 있습니다.

2
주차

더하여 세기

개수가 늘어나는 덧셈을 공부합니다. 기존에 있던 것에 다른 것이 추가되는 덧셈의 개념을 쉽게 익히는 단계입니다. 사고력 팡팡에서는 여러 가지 상황에 맞게 길이를 비교해 봅니다.

5까지의 늘어난 수

그릇에 사탕이 있는데 사탕을 더 넣었어요. 그릇에 사탕은 모두 몇 개가 되는지 수를 쓰세요.

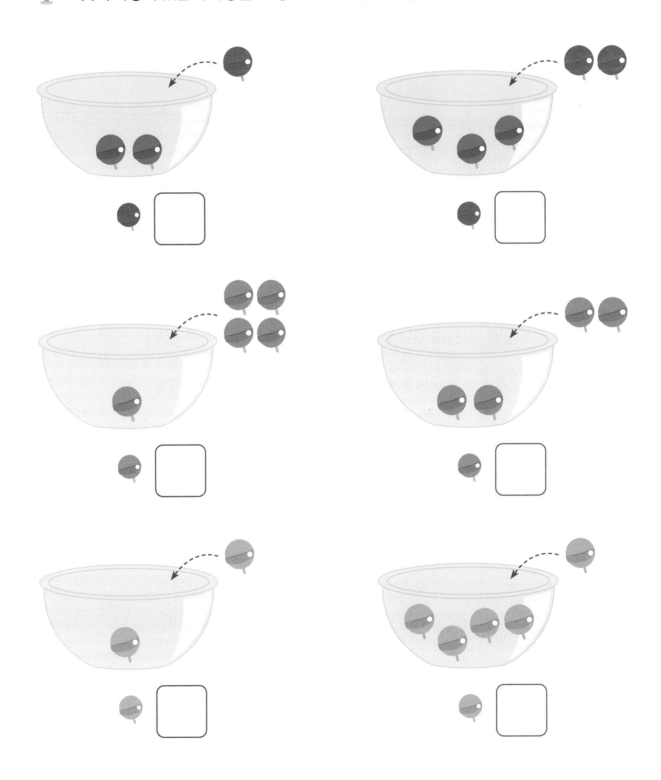

바나나를 가지고 있는 원숭이가 길을 가다가 바나나 몇 개를 주웠어요. 원숭이가 가진 바나나의 개수에 ◯표 하세요.

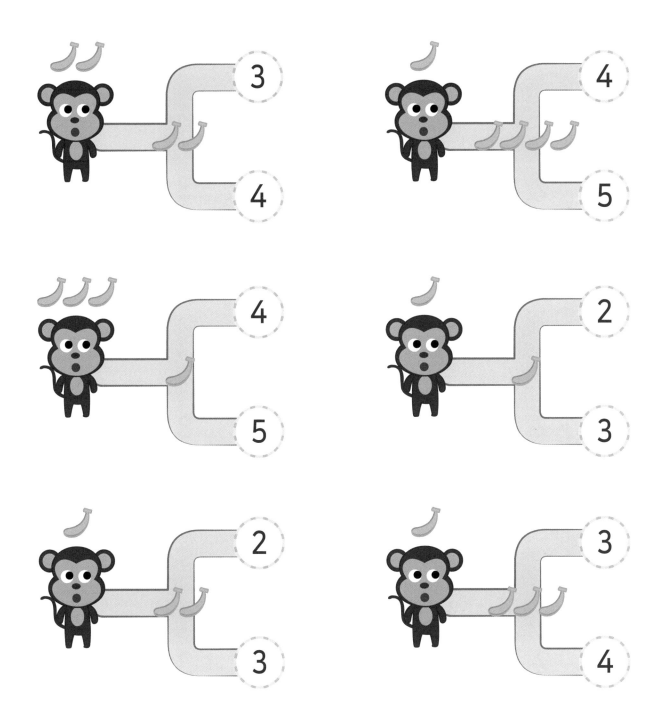

 새의 수와 같은 수를 색칠하세요.

| 1 | 2 | 3 | 4 | 5 |

| 1 | 2 | 3 | 4 | 5 |

| 1 | 2 | 3 | 4 | 5 |

| 1 | 2 | 3 | 4 | 5 |

| 1 | 2 | 3 | 4 | 5 |

| 1 | 2 | 3 | 4 | 5 |

2일 10까지의 늘어난 수

연필꽂이에 연필을 더 꽂을 때 연필꽂이 안에 연필이 모두 몇 자루가 되는지 쓰세요.

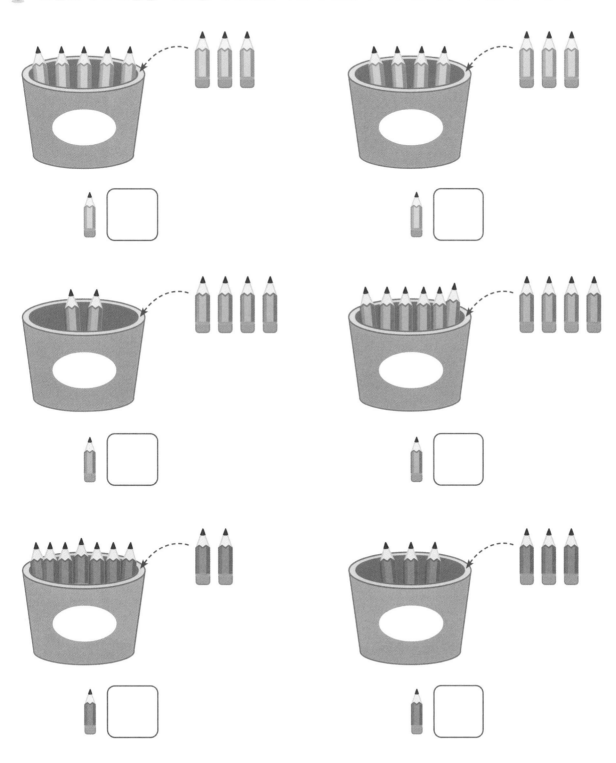

💡 파란색 블록에 빨간색 블록을 끼우면 블록은 모두 몇 개인지 ◯ 안에 쓰세요.

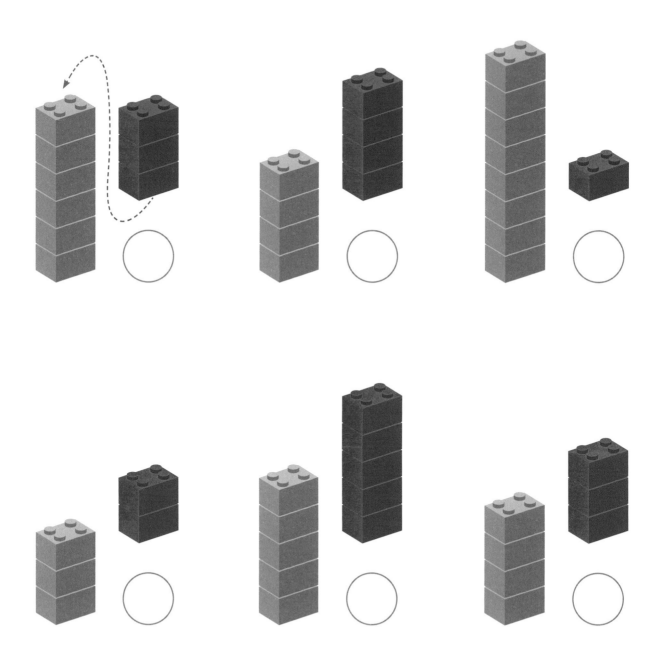

기다리는 사람을 태우면 열차를 탄 사람은 모두 몇 명이 되는지 세어서 알맞은 수에 ◯표 하세요.

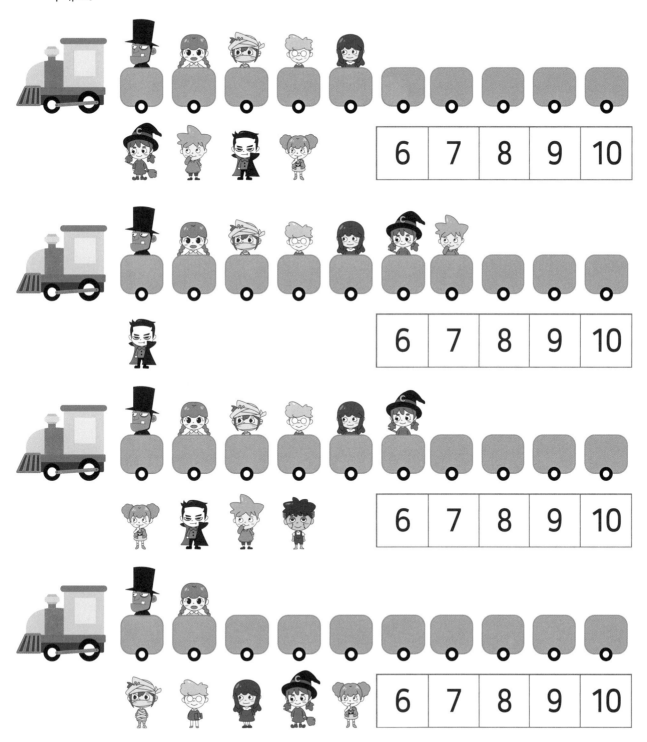

모두 몇 개일까요?

🐾 엄마와 함께 문제를 읽고 알맞은 수를 써 보세요.

★ 나무를 3그루 키우고 있었는데 1그루를 더 심었어요. 나무는 모두 몇 그루가 될까요?

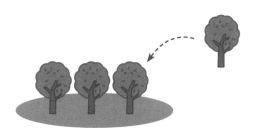

★ 편의점에서 1개를 사면 1개를 더 주는 행사를 하는 음료수 2개를 샀더니 2개를 더 주었어요. 음료수는 모두 몇 개일까요?

★ 고양이 1마리를 키우고 있었는데 고양이 1마리를 더 키우게 되었어요. 고양이는 모두 몇 마리가 될까요?

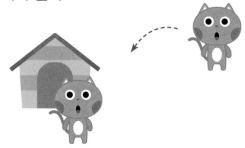

💡 엄마와 함께 문제를 읽고 알맞은 수를 써 보세요.

⭐ 사과를 4개 가지고 있는데 엄마가 사과를 2개 더 주었어요. 사과는 모두 몇 개가 될까요?

⭐ 구슬을 6개 가지고 있는데 오빠가 구슬을 3개 더 주었어요. 구슬은 모두 몇 개가 될까요?

⭐ 아빠가 사탕을 4개 주었는데 엄마가 또 사탕을 4개 주었어요. 사탕은 모두 몇 개가 될까요?

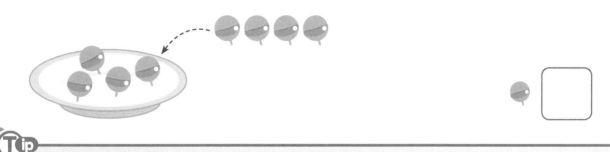

Tip

문제는 읽어 주고 상황을 생각하면서 그림을 보고 더하여 세도록 해 주세요.

엄마와 함께 문제를 읽고 알맞은 수를 써 보세요.

★ 자동차 장난감을 7개 가지고 있는데 생일 선물로 1개를 더 받았어요. 자동차 장난감은 모두 몇 개가 될까요?

★ 풍선 4개를 가지고 있는데 풍선 3개를 더 샀어요. 풍선은 모두 몇 개가 될까요?

★ 귤을 냉장고에서 2개 꺼내어 왔는데 누나가 귤 4개를 더 가지고 왔어요. 귤은 모두 몇 개일까요?

그림과 ◯의 개수가 같도록 ◯를 더 그리세요.

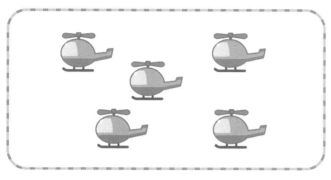

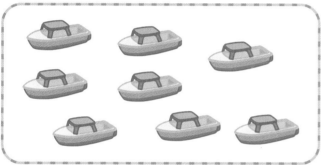

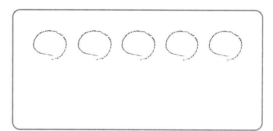

수와 △의 개수가 같도록 △를 더 그리세요.

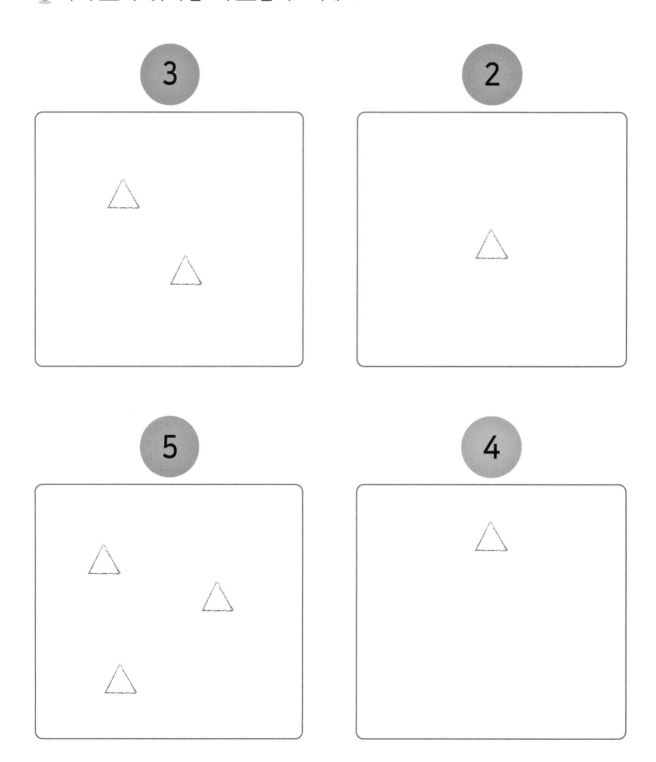

수와 ◯의 개수가 같도록 ◯를 더 그리세요.

8 ◯ ◯ ◯ ◯ ◯ ◯

7 ◯ ◯ ◯ ◯ ◯ ◯

10 ◯ ◯ ◯ ◯ ◯ ◯ ◯

8 ◯ ◯ ◯ ◯

9 ◯ ◯ ◯ ◯ ◯ ◯ ◯

6 ◯ ◯ ◯ ◯ ◯

길이가 더 긴 것에 ◯표 하세요.

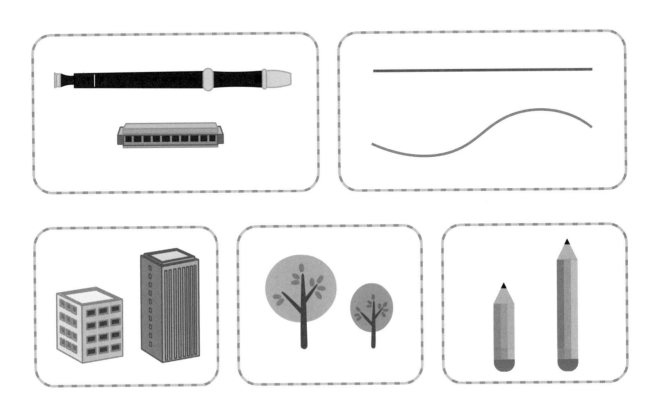

두께가 더 두꺼운 것에 ◯표 하세요.

Tip 문제에서는 비교하여 답만 찾도록 했지만, 아이의 어휘력에 따라서 "㉠이 더 두꺼운 거야. ㉡은 어떻게 말할 수 있어?"와 같이 질문을 하거나 "㉡은 더 얇은 거야."와 같이 가르쳐 줄 수 있습니다.

길이가 더 긴 실에 ◯표 하세요.

키가 더 큰 동물에 ◯표 하세요.

실과 나무 막대 중 더 긴 것을 찾는 방법을 설명하시오.

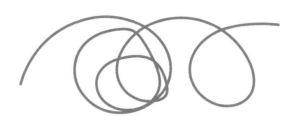

내 손바닥과 발바닥 중 길이가 더 긴 것은 무엇인지 직접 비교해 보세요.

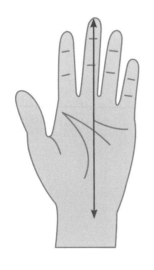 

Tip 실제로 나무 막대를 대신할 물건과 실을 주고 직접 길이를 비교하도록 해 주세요.

3 주차

상상하여 모아 세기

지금까지는 연속적으로 모여 있는 것의 개수를 세었다면 이번 단원에서는 같은 그림을 찾아서 세거나 눈에 보이지 않는 것을 기억한 후 상상하여 세는 공부를 합니다. 사고력 팡팡에서는 무게 비교를 공부합니다.

같은 것 모아 세기

장난감 통에 장난감이 정리되어 있어요. ☐ 안에는 장난감의 개수를 적어 놓았어요.

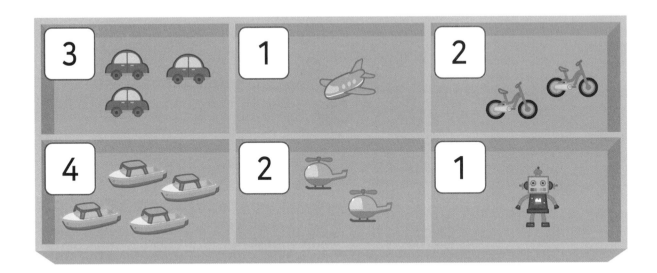

★ 다음 장난감을 장난감 통에 더 넣으면 장난감이 몇 개가 되는지 ☐ 안에 쓰세요.

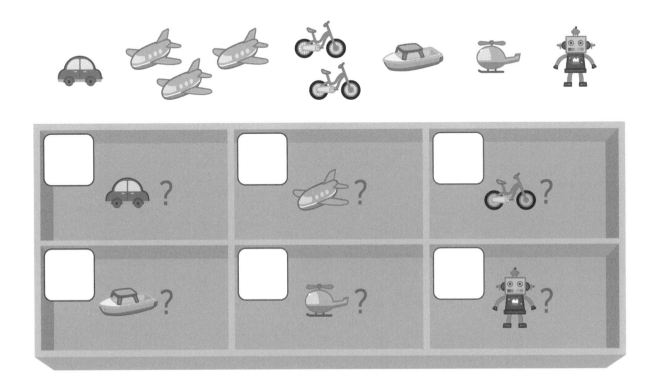

🎐 팽이가 색깔별로 정리되어 있어요. ☐ 안에는 팽이의 개수를 적어 놓았어요.

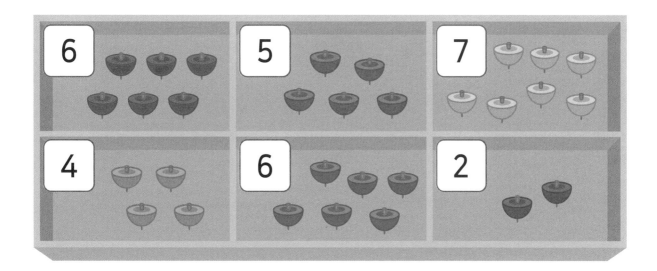

⭐ 다음 팽이를 더 넣으면 팽이가 몇 개가 되는지 ☐ 안에 쓰세요.

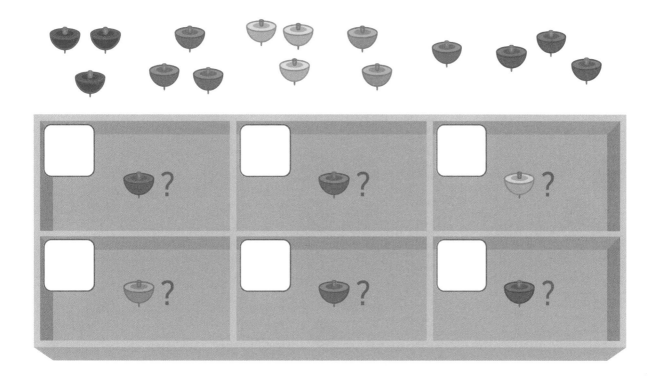

같은 과일을 선으로 잇고, 이어 놓은 과일의 개수를 세어 같은 수를 선으로 이으세요.

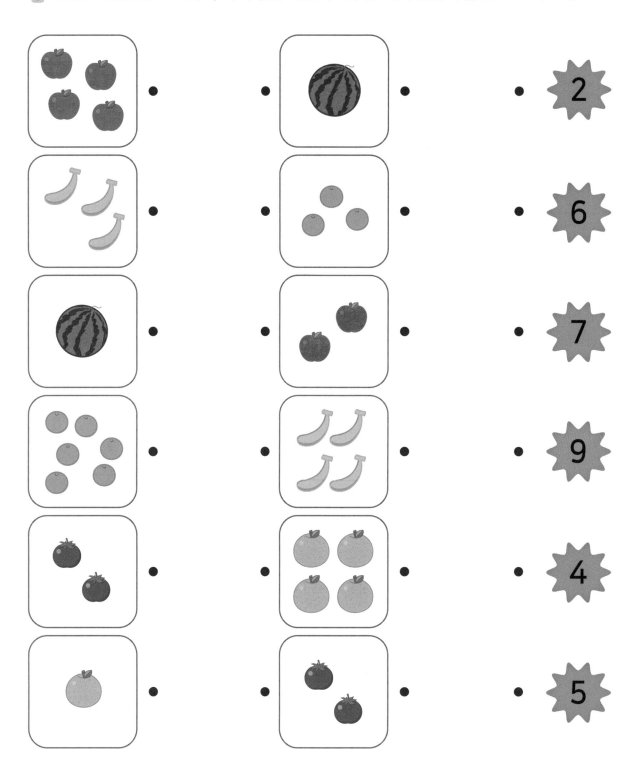

조건에 맞게 모아 세기

그림을 보고 수를 세어 쓰세요.

날아가는 풍선		땅에 있는 풍선	
노란색 풍선		파란색 풍선	

🔍 그림을 보고 수를 세어 쓰세요.

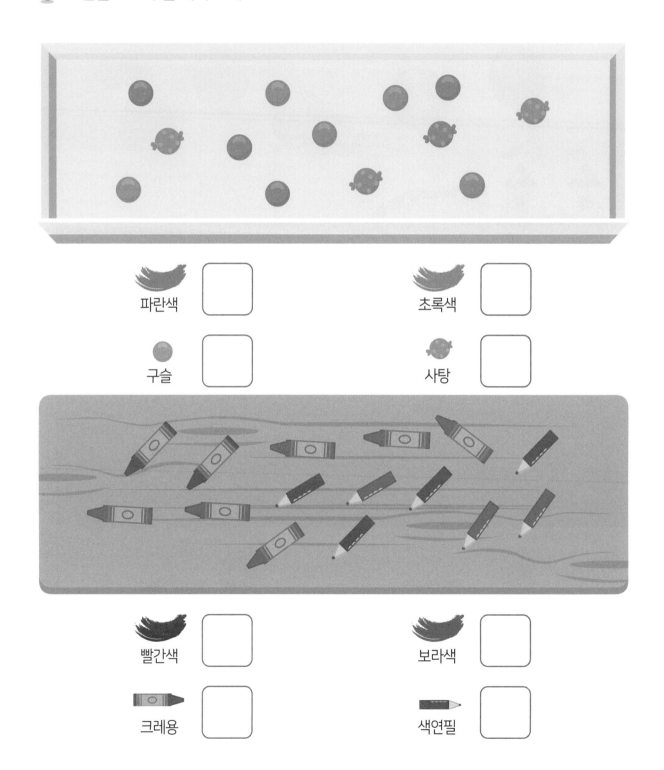

파란색 ☐

초록색 ☐

구슬 ☐

사탕 ☐

빨간색 ☐

보라색 ☐

크레용 ☐

색연필 ☐

💡 그림을 보고 수를 세어 쓰세요.

100원짜리

500원짜리

숫자면

그림면

짧은 옷

긴 옷

셔츠

바지

상상하여 모아 세기

두 손에 바둑돌을 쥐고 손을 오므렸어요. 손 안의 바둑돌은 모두 몇 개인지 쓰세요.

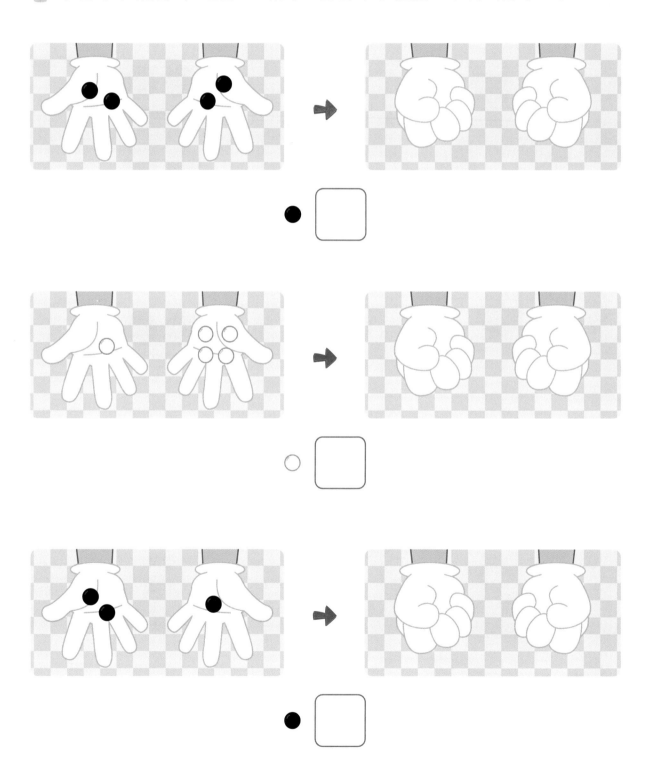

두 손에는 사탕이 각각 몇 개 있나요?

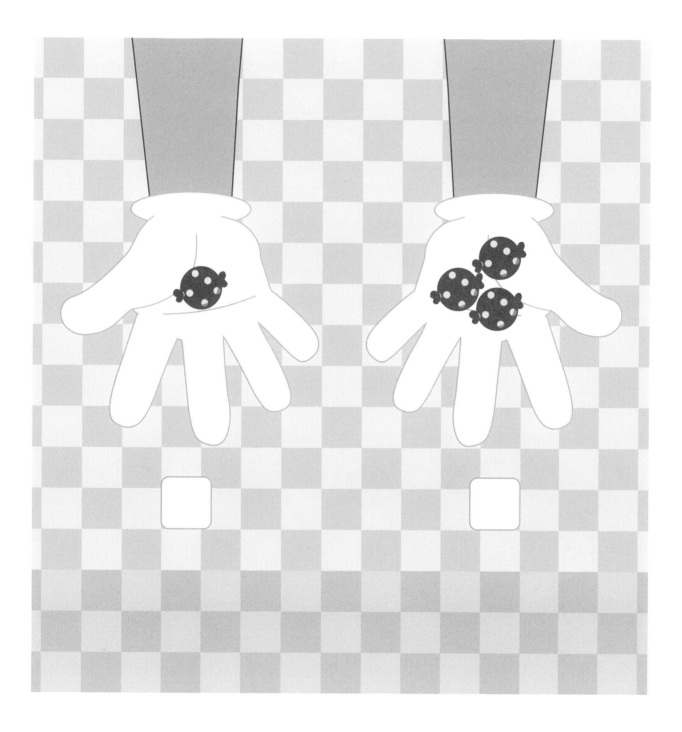

두 손에는 사탕이 모두 몇 개 있을까요?

Tip 앞 페이지에서 각각 센 사탕을 그림을 보지 않고 상상하여 함께 세도록 지도해 주세요.

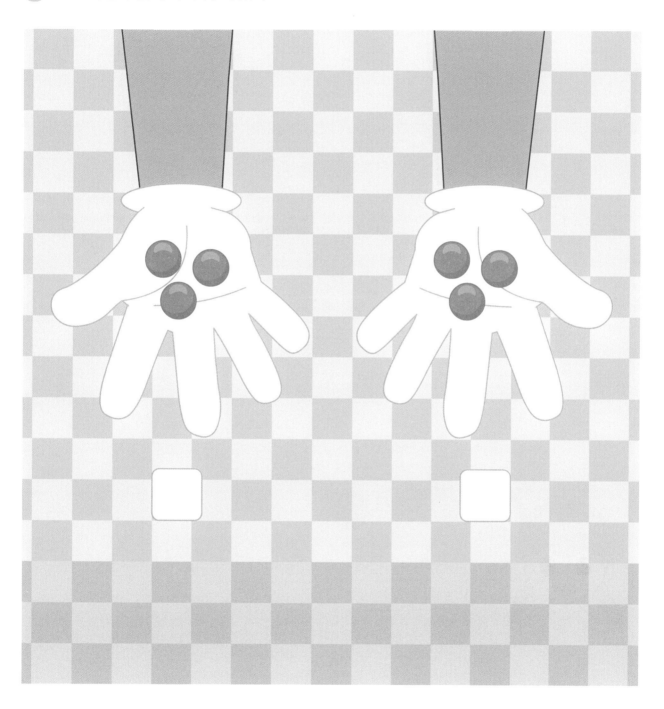

두 손에는 구슬이 각각 몇 개 있나요?

두 손에는 구슬이 모두 몇 개 있을까요?

두 손에는 동전이 각각 몇 개 있나요?

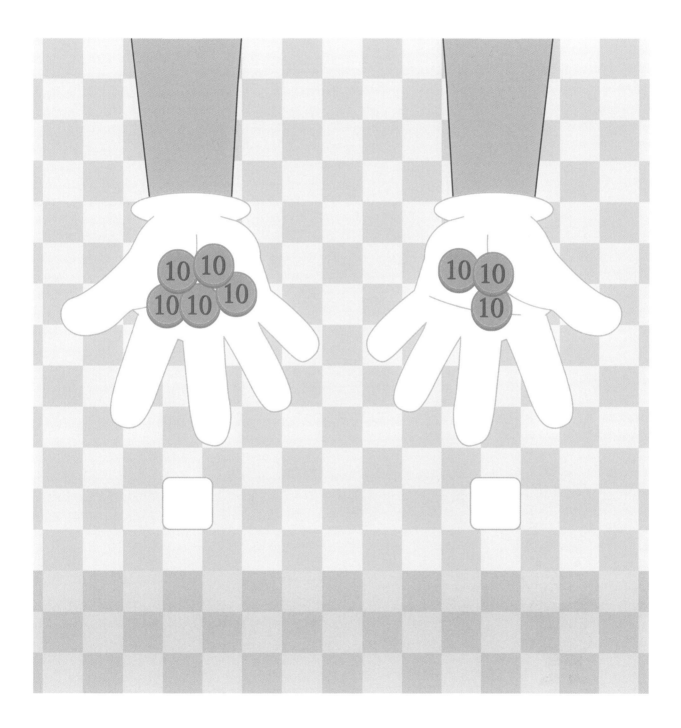

두 손에는 동전이 모두 몇 개 있을까요?

두 손에는 돌멩이가 각각 몇 개 있나요?

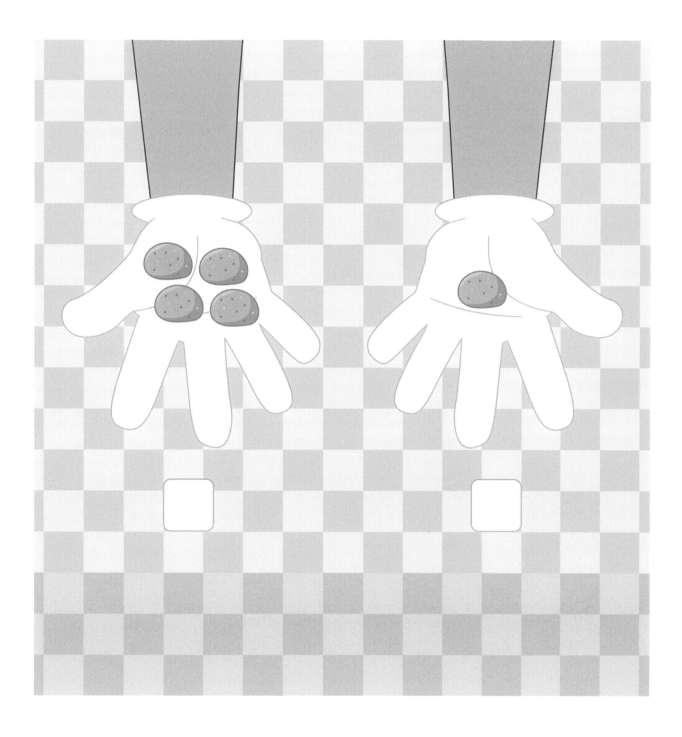

 두 손에는 돌멩이가 모두 몇 개 있을까요?

뚜껑을 닫은 상자

색깔이 다른 상자에 구슬을 넣었어요.

   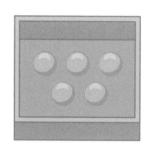

⭐ 두 상자 안에 든 구슬의 개수를 쓰세요.

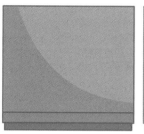 

💡 서로 다른 상자에 과일이 들어 있어요.

⭐ 두 상자 안에 든 과일의 개수를 쓰세요.

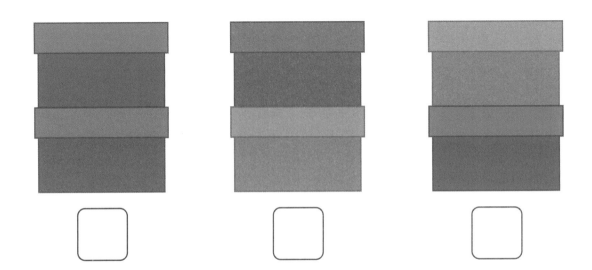

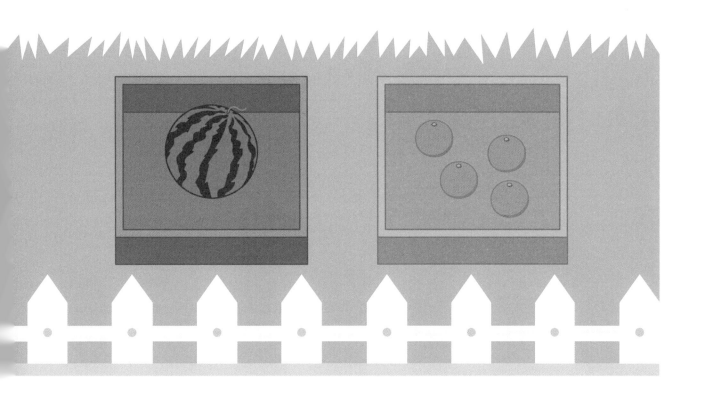

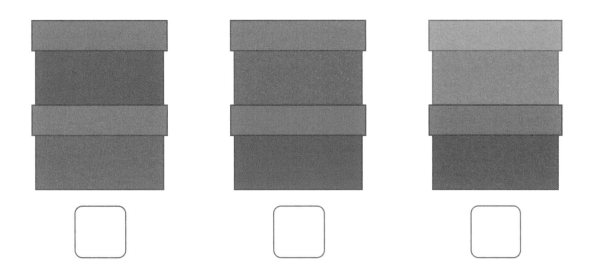

사고력 팡팡 – 무게 비교

더 무거운 것에 ◯표 하세요.

더 가벼운 것에 △표 하세요.

더 무거운 것에 ◯표 하세요.

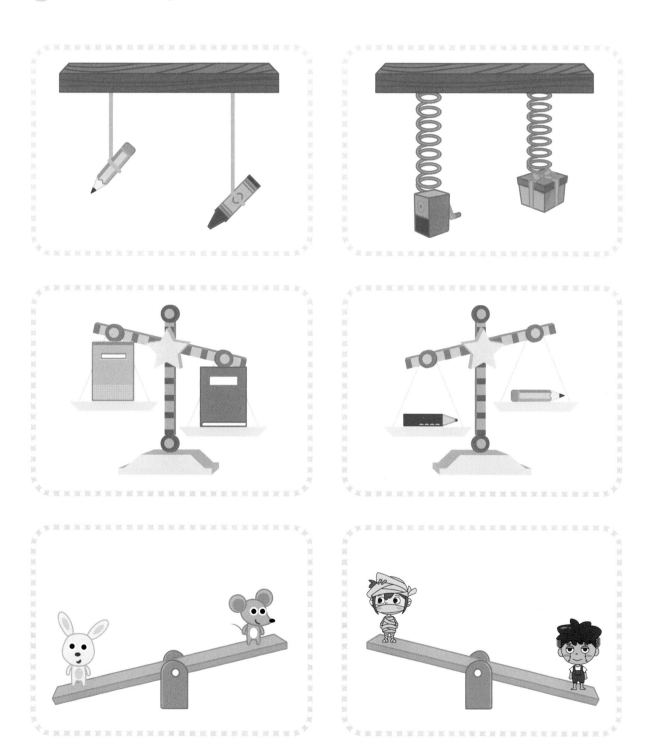

💡 양팔저울이 기울어지지 않도록 연필과 지우개를 올렸어요.

⭐ 그림에서 내려가는 쪽 접시에 ◯표 하세요.

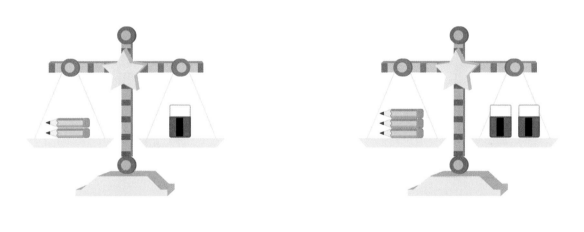

그림보다 1 많게 세기, 2 많게 세기를 공부합니다. 먼저 두 가지 그림, 두 수를 ○로 직접 그려서 세어 본 후, 많게 세어야 하는 수만큼 ○를 그리고 수를 구하도록 합니다. 사고력 팡팡에서는 넓이와 들이 비교를 공부합니다.

그림을 모아서 ○

두 그림을 모아서 ○를 그리고, 몇 개인지 쓰세요.

두 그림에 있는 바나나의 개수만큼 ◯에 /표 하고, 몇 개인지 쓰세요.

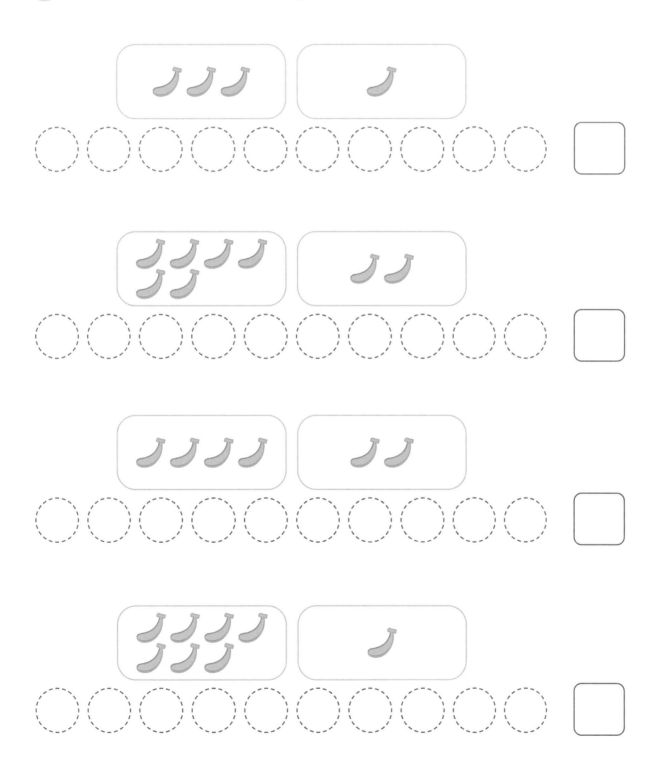

두 그림에 있는 바나나의 개수만큼 ◯에 /표 하고, 몇 개인지 쓰세요.

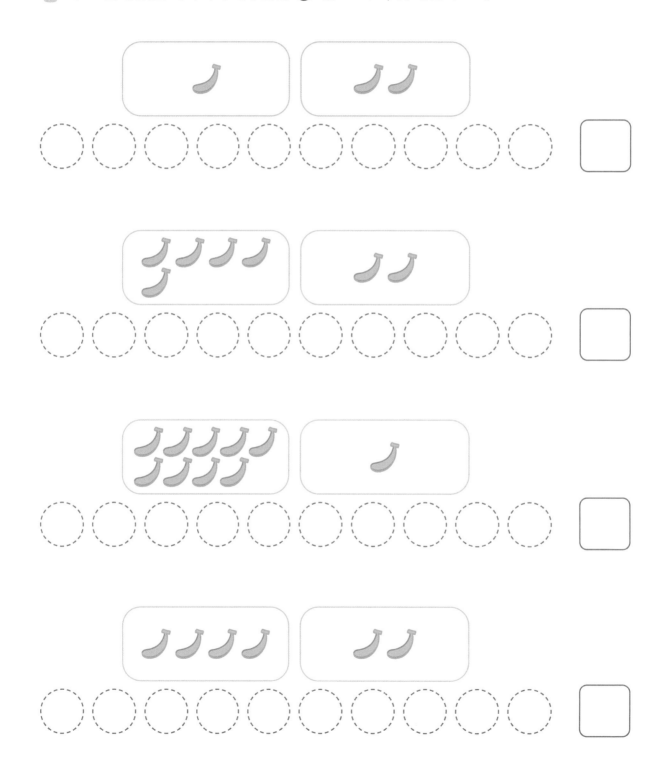

두 수만큼 ○를 그리고, 몇 개인지 쓰세요.

5	2

□

1	1

□

2	2

□

4	2

□

3	1

□

6	1

□

두 수만큼 ◯에 /표 하고, 몇 개인지 쓰세요.

4	2

◯ ◯ ◯ ◯ ◯ ◯ ◯ ◯ ◯ ◯ ☐

3	2

◯ ◯ ◯ ◯ ◯ ◯ ◯ ◯ ◯ ◯ ☐

8	2

◯ ◯ ◯ ◯ ◯ ◯ ◯ ◯ ◯ ◯ ☐

6	2

◯ ◯ ◯ ◯ ◯ ◯ ◯ ◯ ◯ ◯ ☐

두 수만큼 ◯에 /표 하고, 몇 개인지 쓰세요.

| 5 | 1 |

◯ ◯ ◯ ◯ ◯ ◯ ◯ ◯ ◯ ◯   ☐

| 7 | 2 |

◯ ◯ ◯ ◯ ◯ ◯ ◯ ◯ ◯ ◯   ☐

| 9 | 1 |

◯ ◯ ◯ ◯ ◯ ◯ ◯ ◯ ◯ ◯   ☐

| 8 | 1 |

◯ ◯ ◯ ◯ ◯ ◯ ◯ ◯ ◯ ◯   ☐

1 많게 세기

❓ 왼쪽 그림보다 개수가 1 많은 것을 선으로 이으세요.

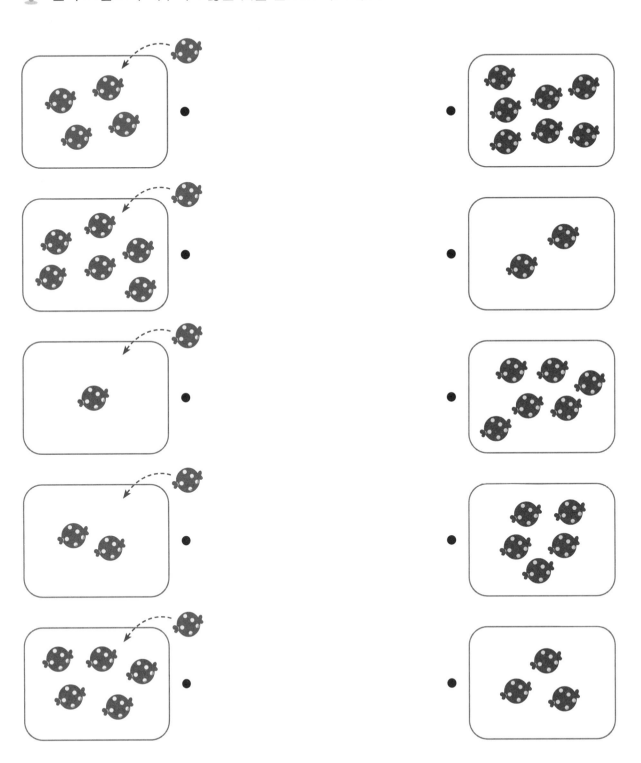

○를 1개 더 색칠하고 색칠된 ○의 개수를 쓰세요.

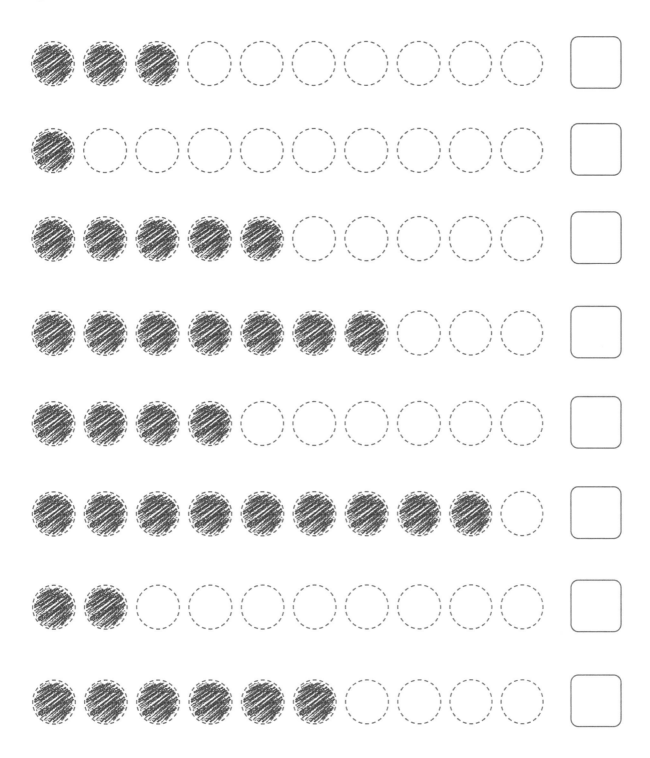

○ 1개를 더 그리고 처음 그림보다 1 많은 수를 쓰세요.

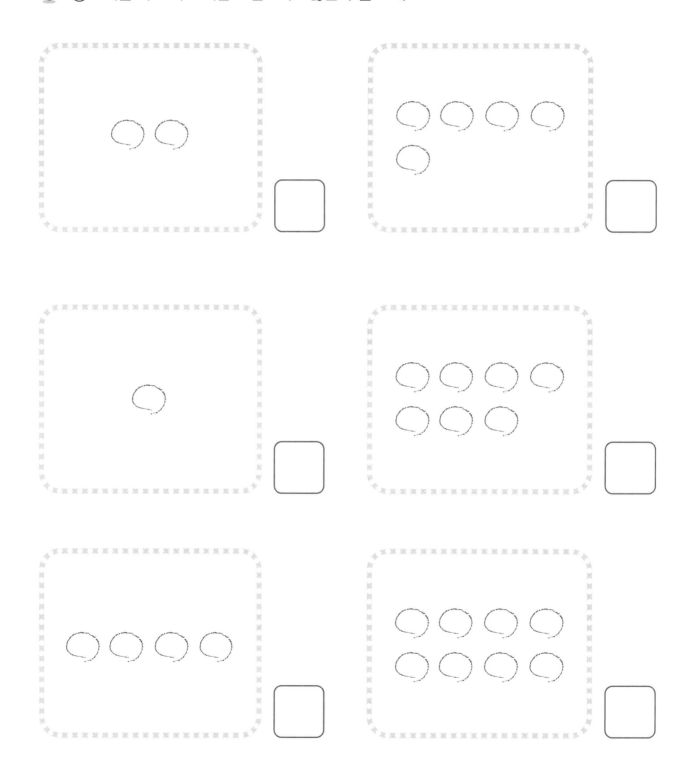

4일 2 많게 세기

공부한 날~!
월 일

왼쪽 그림보다 개수가 2 많은 것을 선으로 이으세요.

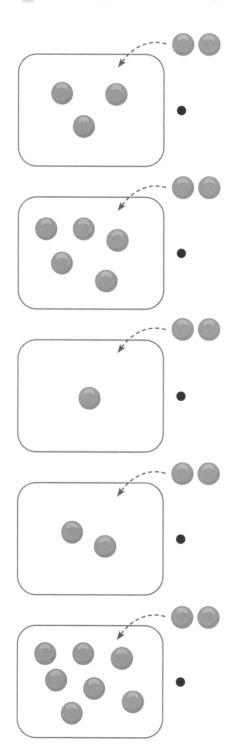

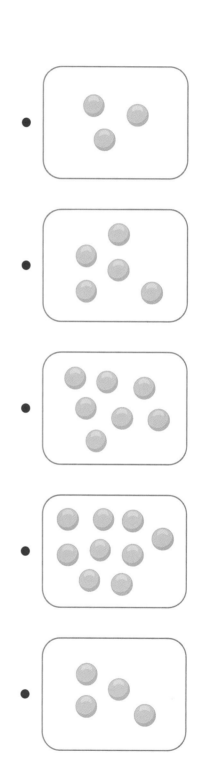

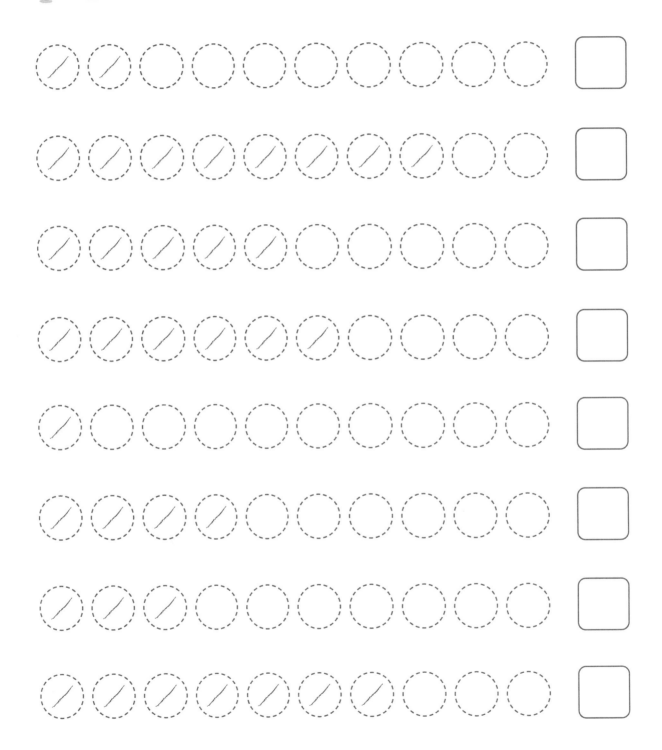

/표를 2개 더 하고 /표의 개수를 쓰세요.

○ 2개를 더 그리고 처음 그림보다 2 많은 수를 쓰세요.

두 접시 중 음식을 더 많이 담을 수 있는 접시에 ○표 하세요.

더 많이 색칠한 크레용에 ○표 하세요.

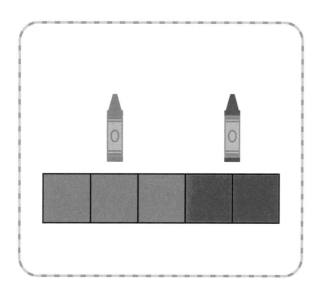
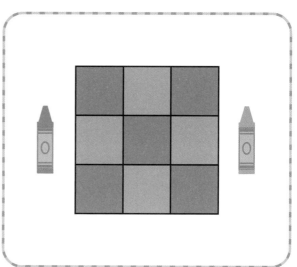

더 넓은 것에 ○표 하세요.

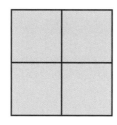
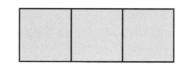

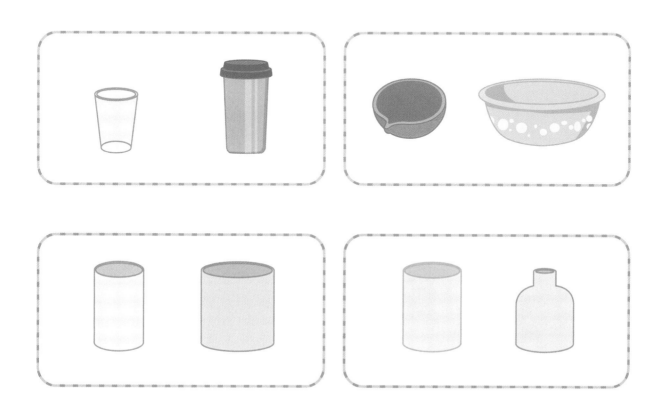

물이 더 많이 들어가는 것에 ○표 하세요.

두 사람이 새 음료수를 하나씩 마셨어요. 음료수를 더 많이 마신 사람에 ○표 하세요.

넓이를 바르게 비교한 동물에 ◯표 하세요.

똑같이 물을 퍼낼 때 두 바가지 중에서 욕조의 물을 더 빨리 퍼낼 수 있는 바가지에 ◯표 하세요.

09 그림을 보고 수를 세어 쓰세요.

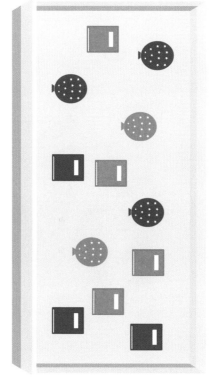

10 두 손에 구슬을 쥐고 손을 오므렸어요. 손 안의 구슬은 모두 몇 개인지 쓰세요.

빨간색 풍선

초록색 책

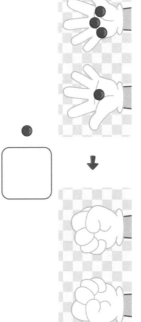

11 서로 다른 상자에 공이 들어 있어요. 두 상자 안에 든 공의 개수를 쓰세요.

12 더 무거운 것에 ○표 하세요.

13 두 그림을 모아서 ○를 그리고, 몇 개인지 쓰세요.

14 두 수만큼 ○를 그리고, 몇 개인지 쓰세요.

3

5

15 ○ 1개를 더 그리고 처음 그림보다 1 많은 수를 쓰세요.

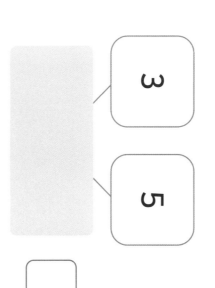

16 /표를 2개 더 하고 /표의 개수를 쓰세요.

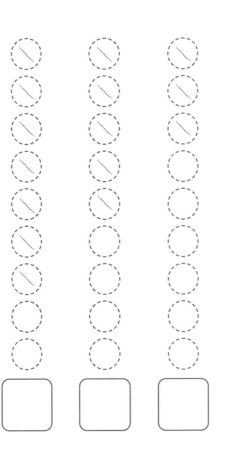

총괄 테스트

이름　　점수

01 두 가지 음식을 한 접시에 담으면 모두 몇 개인지 수를 쓰세요.

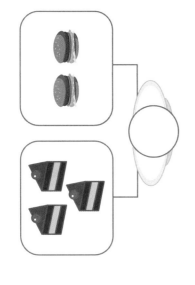

02 두 가지 사탕을 함께 세어 수를 쓰세요.

03 지우개를 세어 ○표 하세요.

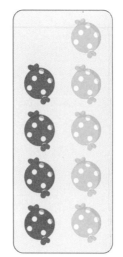

1	2	3	4	5
6	7	8	9	10

04 원숭이가 바나나를 껍질과 넘은 바나나를 보고 처음에 있던 바나나의 개수를 쓰세요.

05 당근을 가지고 있는 토끼가 길을 가다가 당근 몇 개를 주웠어요. 토끼가 가진 당근의 개수에 ○표 하세요.

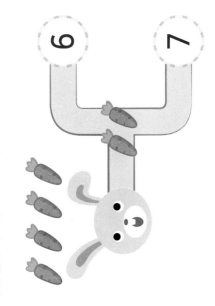

6　7

06 강아지의 수와 같은 수에 ○표 하세요.

1	2	3	4	5

07 그림과 ○의 개수가 같도록 ○를 더 그리세요.

08 키가 더 큰 동물에 ○표 하세요.

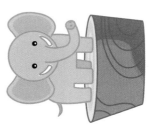

우리 아이 첫 수학은
유자수 가 답이다

보드마카와
붙임 딱지로
즐겁게

내 아이에게
딱 맞는
엄마표 문제

재미있게
스스로
반복학습

방송에서 화제가 된 바로 그 교재!

생각과 자신감이 커지는 유아 자신감 수학!

방송 영상

유자수 소개 영상

실력도 탑! 재미도 탑!
사고력 수학의 으뜸!

TOP 사고력 수학

6~7세   7~8세   초1~2학년   초2~3학년

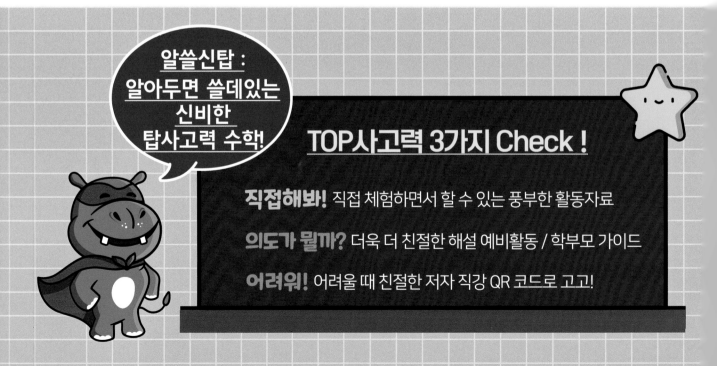

알쓸신탑 :
알아두면 쓸데있는
신비한
탑사고력 수학!

TOP사고력 3가지 Check !

직접해봐! 직접 체험하면서 할 수 있는 풍부한 활동자료

의도가 뭘까? 더욱 더 친절한 해설 예비활동 / 학부모 가이드

어려워! 어려울 때 친절한 저자 직강 QR 코드로 고고!

| 단계별 유아 원리 연산 |

KIDS
키즈

수학 전문가가
만든 연산 교재

원리셈

천종현 지음

정답

5·6세 | 4권 | 모아 세기

천종현수학연구소

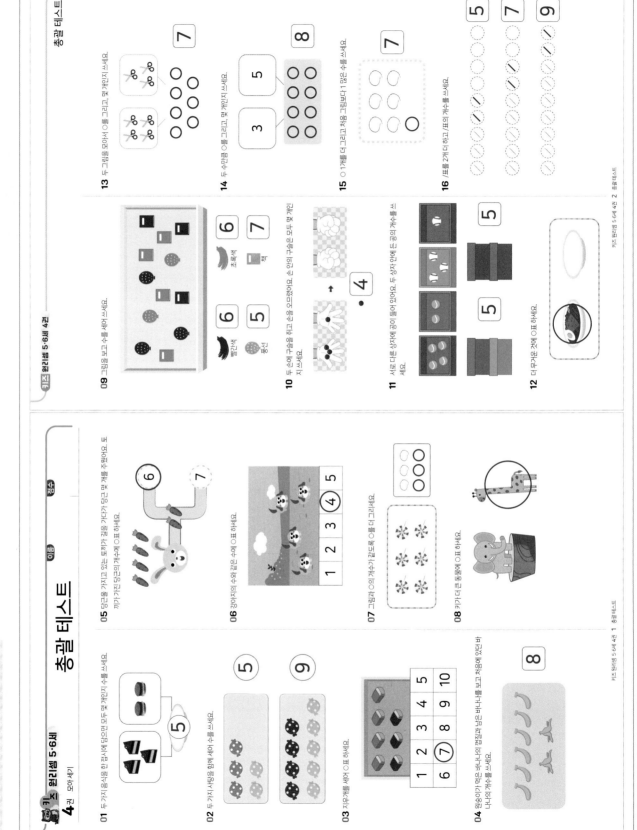

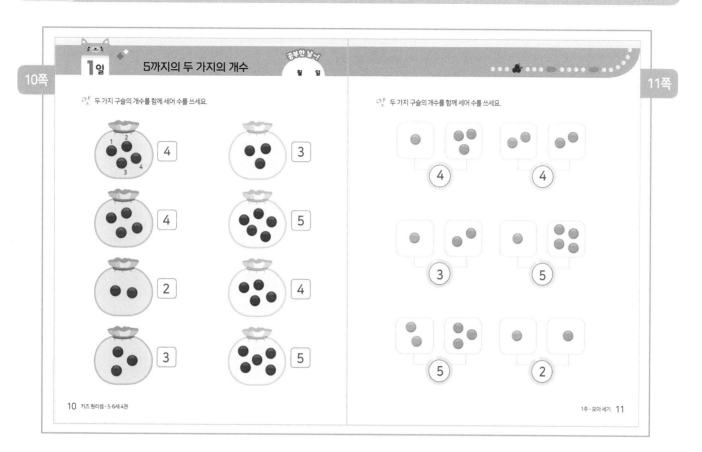

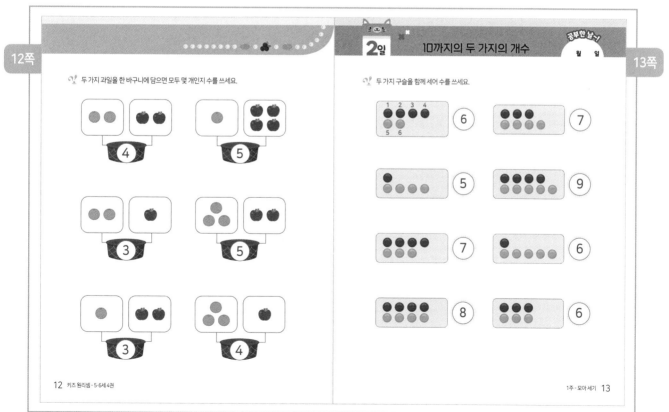

2일

두 가지 색의 개구리를 함께 세어 수를 쓰세요.

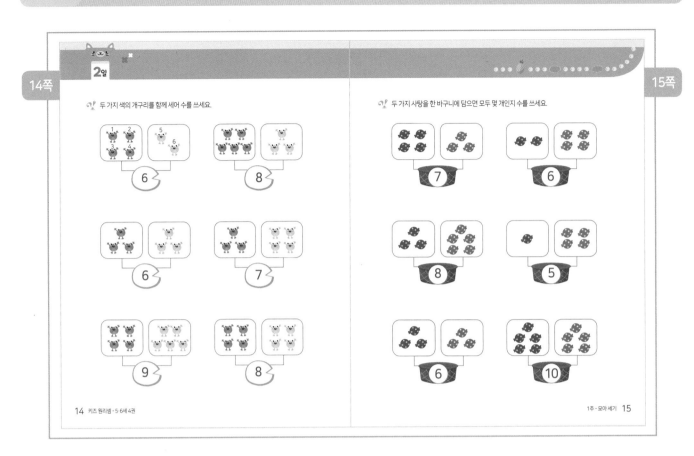

두 가지 사탕을 한 바구니에 담으면 모두 몇 개인지 수를 쓰세요.

3일

두 가지 모아 세기

공부한 날~!
월 일

원숭이가 먹은 바나나의 껍질과 남은 바나나를 보고 처음에 있던 바나나의 개수를 쓰세요.

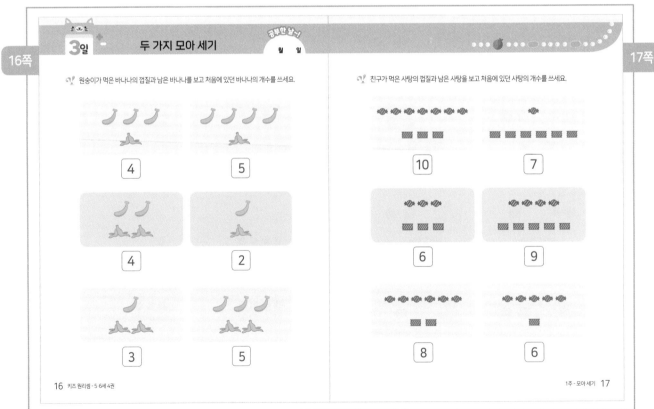

친구가 먹은 사탕의 껍질과 남은 사탕을 보고 처음에 있던 사탕의 개수를 쓰세요.

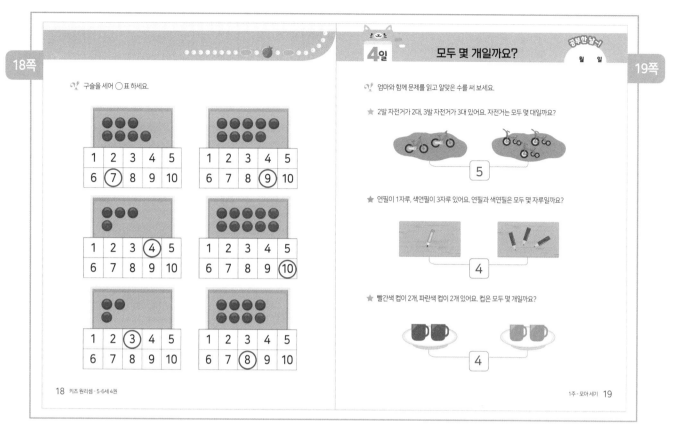

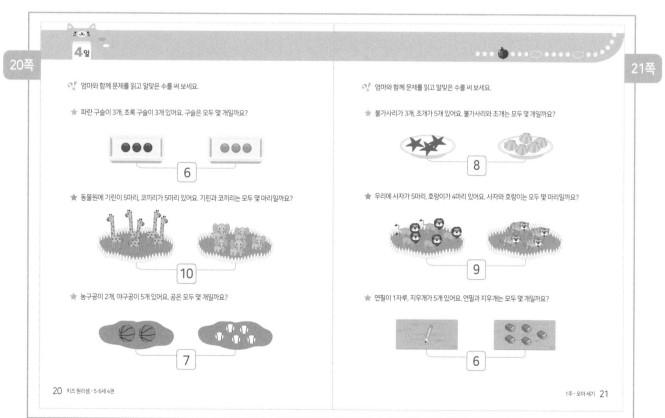

5일 사고력 팡팡 - 비교하는 말

숲속 동물들이 여러 가지를 비교하고 있어요.

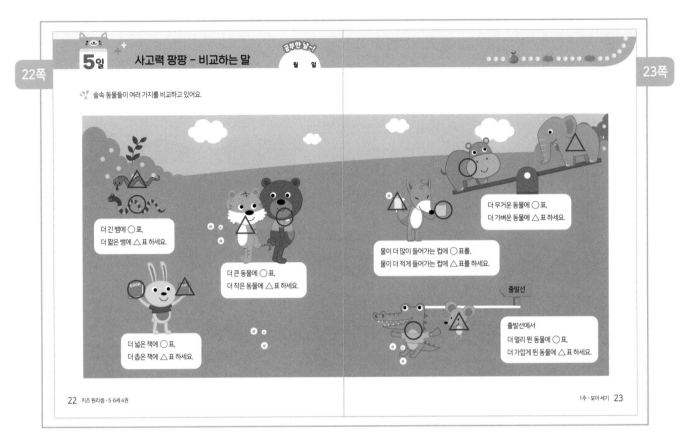

더 긴 뱀에 ○표,
더 짧은 뱀에 △표 하세요.

더 큰 동물에 ○표,
더 작은 동물에 △표 하세요.

더 넓은 책에 ○표,
더 좁은 책에 △표 하세요.

더 무거운 동물에 ○표,
더 가벼운 동물에 △표 하세요.

물이 더 많이 들어가는 컵에 ○표를,
물이 더 적게 들어가는 컵에 △표를 하세요.

출발선

출발선에서
더 멀리 뛴 동물에 ○표,
더 가깝게 뛴 동물에 △표 하세요.

그림과 어울리는 말을 선으로 이으세요.

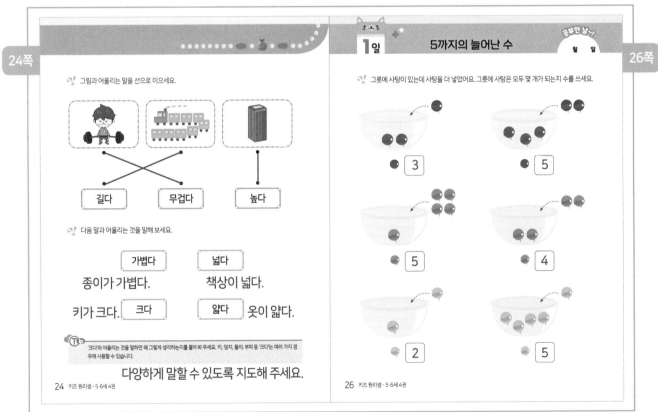

| 길다 | 무겁다 | 높다 |

다음 말과 어울리는 것을 말해 보세요.

가볍다   넓다

종이가 가볍다.   책상이 넓다.

키가 크다. 크다   얇다 옷이 얇다.

'크다'와 어울리는 것을 말하려면 왜 그렇게 생각하는지를 물어 봐 주세요. 키, 덩치, 둘이, 부피 등 '크다'는 여러 가지 경우에 사용할 수 있습니다.

다양하게 말할 수 있도록 지도해 주세요.

1일 5까지의 늘어난 수

그릇에 사탕이 있는데 사탕을 더 넣었어요. 그릇에 사탕은 모두 몇 개가 되는지 수를 쓰세요.

3   5

5   4

2   5

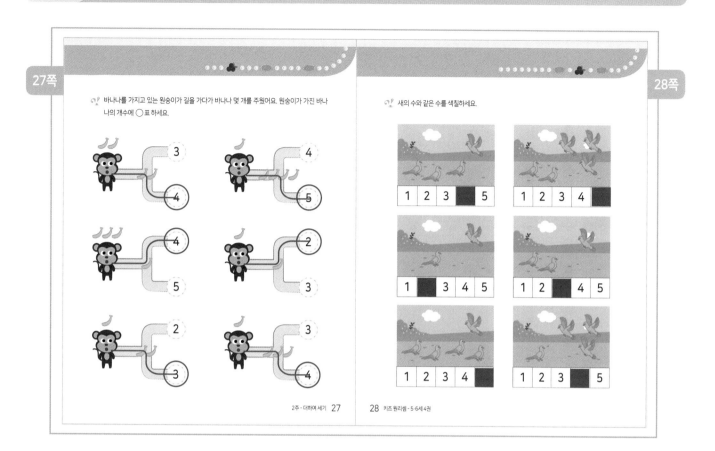

바나나를 가지고 있는 원숭이가 길을 가다가 바나나 몇 개를 주웠어요. 원숭이가 가진 바나나의 개수에 ◯표 하세요.

새의 수와 같은 수를 색칠하세요.

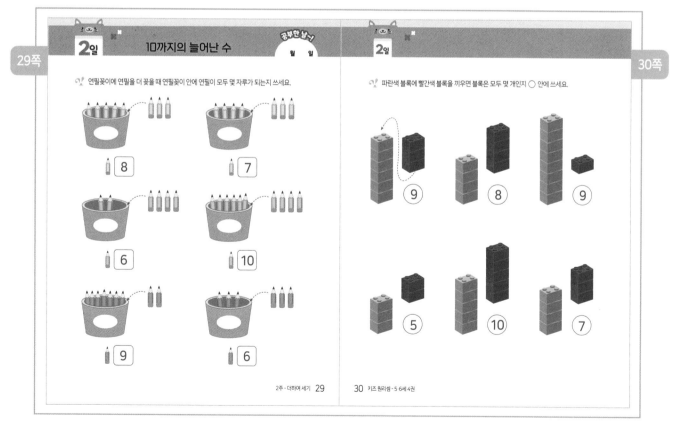

2일 10까지의 늘어난 수 공부한 날~! 월 일

연필꽂이에 연필을 더 꽂을 때 연필꽂이 안에 연필이 모두 몇 자루가 되는지 쓰세요.

2일

파란색 블록에 빨간색 블록을 끼우면 블록은 모두 몇 개인지 ◯ 안에 쓰세요.

정답 **5**

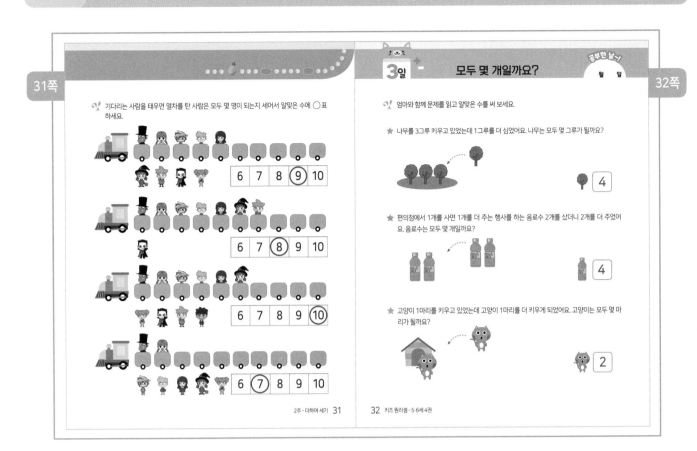

기다리는 사람을 태우면 열차를 탄 사람은 모두 몇 명이 되는지 세어서 알맞은 수에 ◯표 하세요.

| 6 | 7 | 8 | ⑨ | 10 |

| 6 | 7 | ⑧ | 9 | 10 |

| 6 | 7 | 8 | 9 | ⑩ |

| 6 | ⑦ | 8 | 9 | 10 |

3일

모두 몇 개일까요?

공부한 날~!

월 일

엄마와 함께 문제를 읽고 알맞은 수를 써 보세요.

★ 나무를 3그루 키우고 있었는데 1그루를 더 심었어요. 나무는 모두 몇 그루가 될까요?

4

★ 편의점에서 1개를 사면 1개를 더 주는 행사를 하는 음료수 2개를 샀더니 2개를 더 주었어요. 음료수는 모두 몇 개일까요?

4

★ 고양이 1마리를 키우고 있었는데 고양이 1마리를 더 키우게 되었어요. 고양이는 모두 몇 마리가 될까요?

2

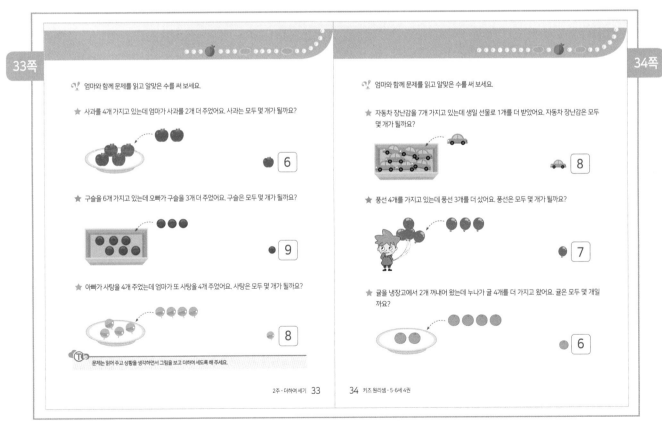

엄마와 함께 문제를 읽고 알맞은 수를 써 보세요.

★ 사과를 4개 가지고 있는데 엄마가 사과를 2개 더 주었어요. 사과는 모두 몇 개가 될까요?

6

★ 구슬을 6개 가지고 있는데 오빠가 구슬을 3개 더 주었어요. 구슬은 모두 몇 개가 될까요?

9

★ 아빠가 사탕을 4개 주었는데 엄마가 또 사탕을 4개 주었어요. 사탕은 모두 몇 개가 될까요?

8

문제는 읽어 주고 상황을 생각하면서 그림을 보고 더하여 세도록 해 주세요.

엄마와 함께 문제를 읽고 알맞은 수를 써 보세요.

★ 자동차 장난감을 7개 가지고 있는데 생일 선물로 1개를 더 받았어요. 자동차 장난감은 모두 몇 개가 될까요?

8

★ 풍선 4개를 가지고 있는데 풍선 3개를 더 샀어요. 풍선은 모두 몇 개가 될까요?

7

★ 귤을 냉장고에서 2개 꺼내어 왔는데 누나가 귤 4개를 더 가지고 왔어요. 귤은 모두 몇 개일까요?

6

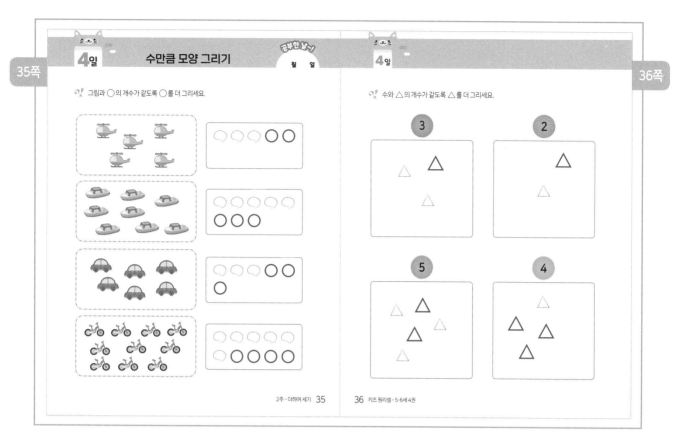

4일 수만큼 모양 그리기

그림과 ○의 개수가 같도록 ○를 더 그리세요.

4일

수와 △의 개수가 같도록 △를 더 그리세요.

3

2

5

4

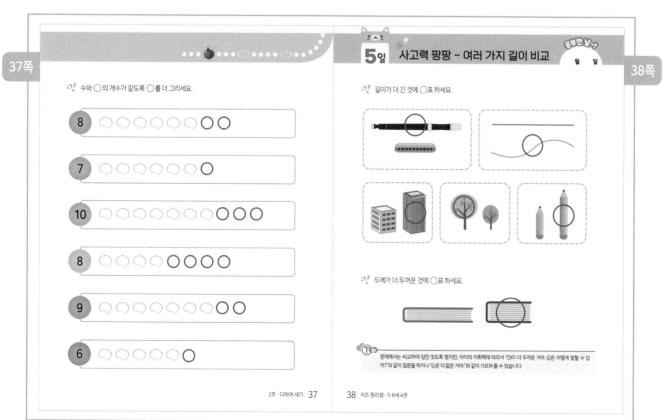

수와 ○의 개수가 같도록 ○를 더 그리세요.

8

7

10

8

9

6

5일 사고력 팡팡 - 여러 가지 길이 비교

길이가 더 긴 것에 ○표 하세요.

두께가 더 두꺼운 것에 ○표 하세요.

Tip 문제에서는 비교하여 답만 찾도록 했지만, 아이의 어휘력에 따라서 "①이 더 두꺼운 거야. ②은 어떻게 말할 수 있어?"와 같이 질문을 하거나 "②은 더 얇은 거야."와 같이 가르쳐 줄 수 있습니다.

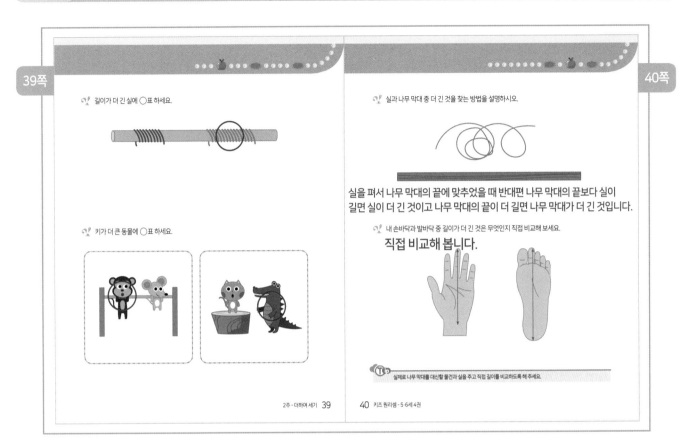

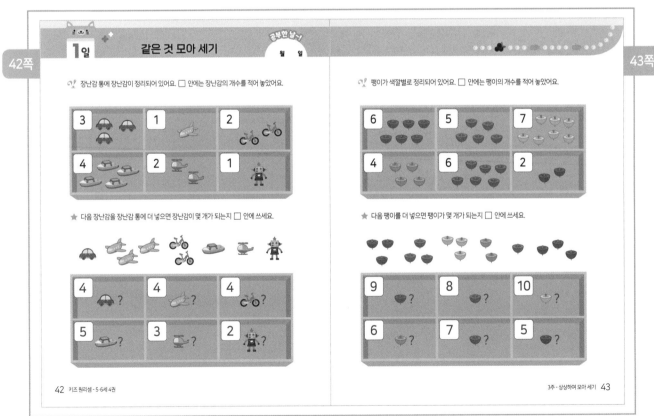

같은 과일을 선으로 잇고, 이어 놓은 과일의 개수를 세어 같은 수를 선으로 이으세요.

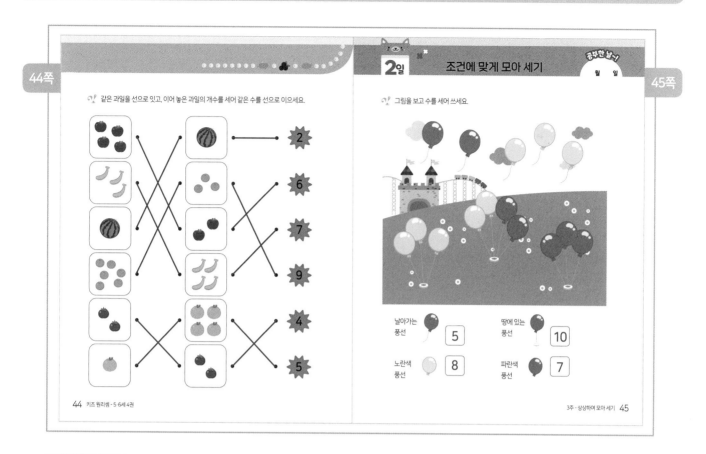

2

6

7

9

4

5

2일 조건에 맞게 모아 세기

공부한 날짜

월 일

그림을 보고 수를 세어 쓰세요.

날아가는 풍선 | 5

땅에 있는 풍선 | 10

노란색 풍선 | 8

파란색 풍선 | 7

2일

그림을 보고 수를 세어 쓰세요.

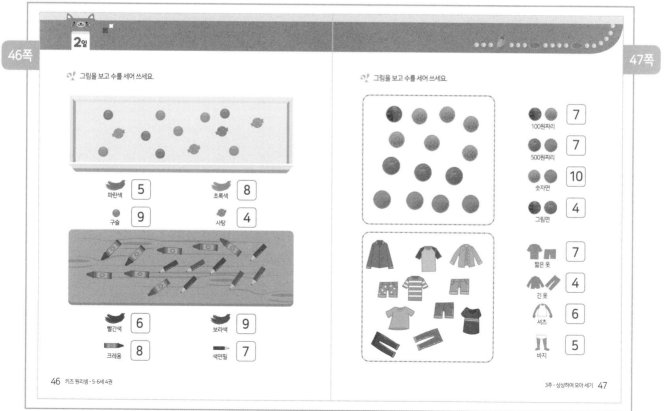

파란색 | 5

초록색 | 8

구슬 | 9

사탕 | 4

빨간색 | 6

보라색 | 9

크레용 | 8

색연필 | 7

그림을 보고 수를 세어 쓰세요.

100원짜리 | 7

500원짜리 | 7

숫자면 | 10

그림면 | 4

짧은 옷 | 7

긴 옷 | 4

셔츠 | 6

바지 | 5

3일 상상하여 모아 세기

두 손에 바둑돌을 쥐고 손을 오므렸어요. 손 안의 바둑돌은 모두 몇 개인지 쓰세요.

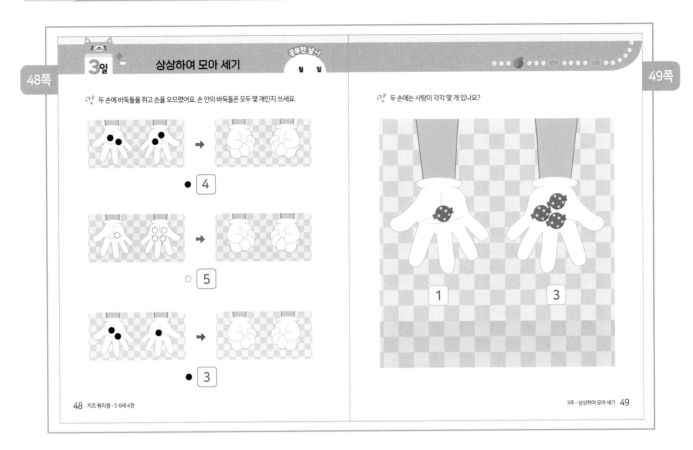

두 손에는 사탕이 각각 몇 개 있나요?

1   3

3일

두 손에는 사탕이 모두 몇 개 있을까요?

두 손에는 구슬이 각각 몇 개 있나요?

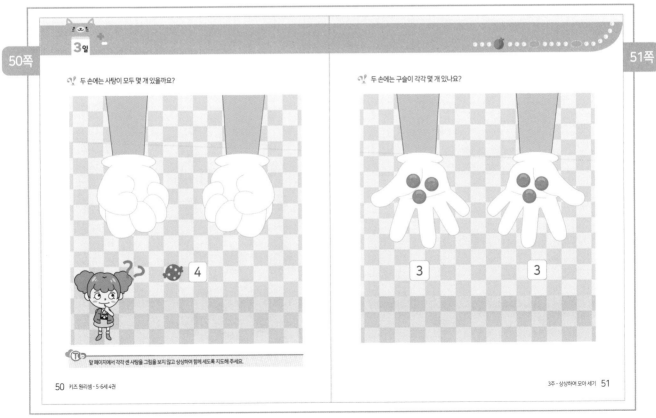

앞 페이지에서 각각 센 사탕을 그림을 보지 않고 상상하여 함께 세도록 지도해 주세요.

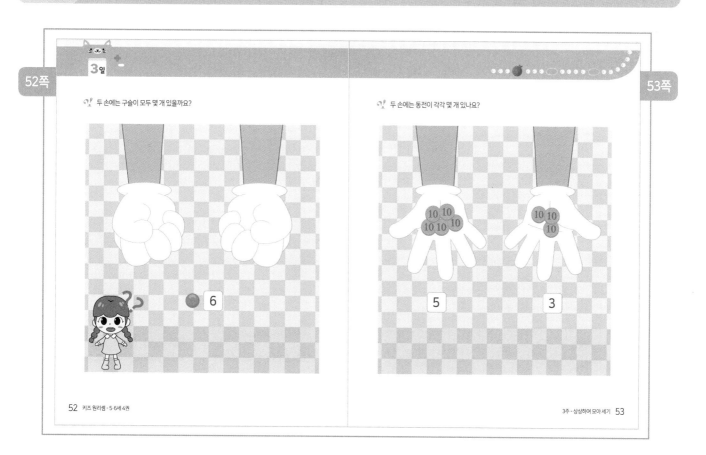

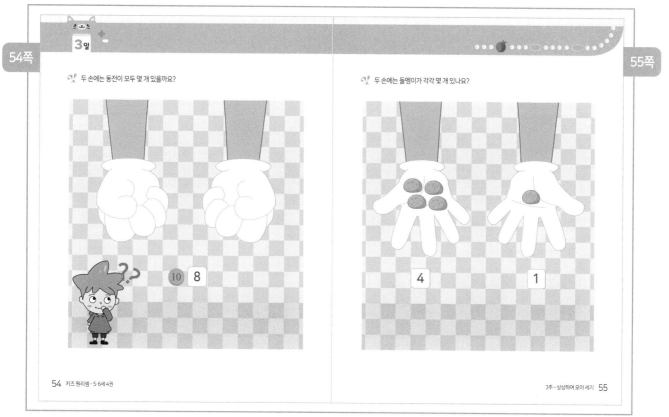

두 손에는 돌멩이가 모두 몇 개 있을까요?

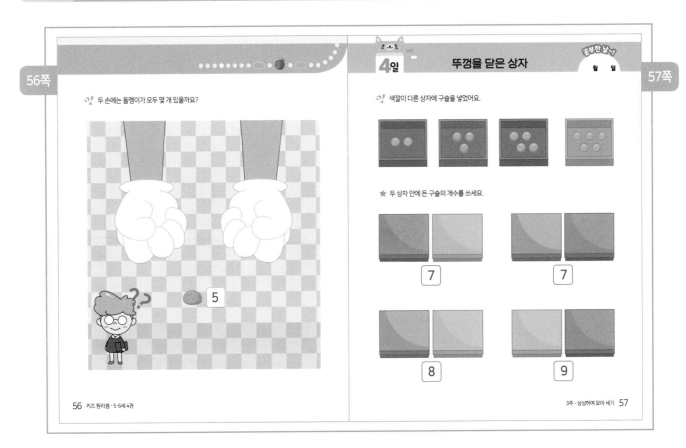

5

4일 뚜껑을 닫은 상자

공부한 날짜

월 일

색깔이 다른 상자에 구슬을 넣었어요.

★ 두 상자 안에 든 구슬의 개수를 쓰세요.

7

7

8

9

4일

서로 다른 상자에 과일이 들어 있어요.

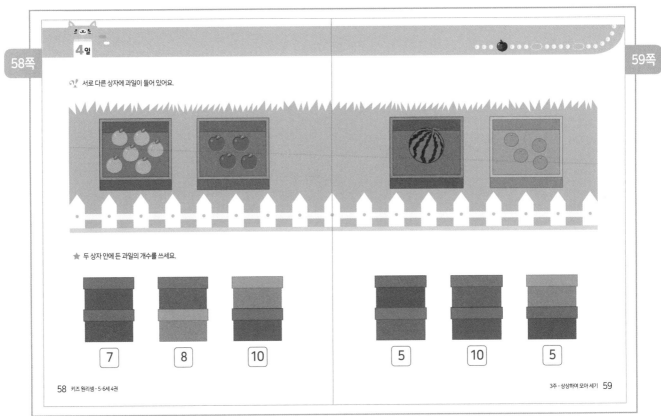

★ 두 상자 안에 든 과일의 개수를 쓰세요.

7   8   10

5   10   5

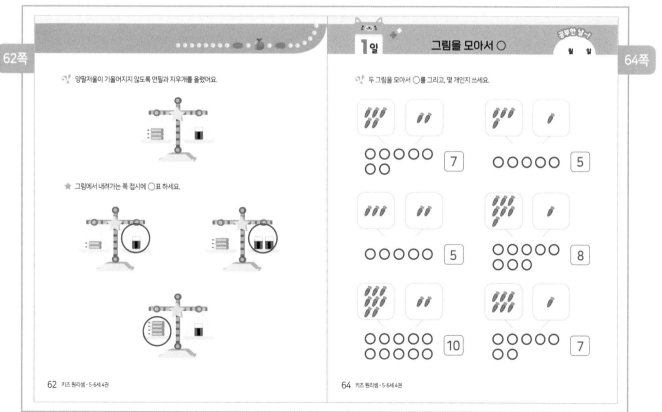

두 그림에 있는 바나나의 개수만큼 ◯에 /표 하고, 몇 개인지 쓰세요.

두 그림에 있는 바나나의 개수만큼 ◯에 /표 하고, 몇 개인지 쓰세요.

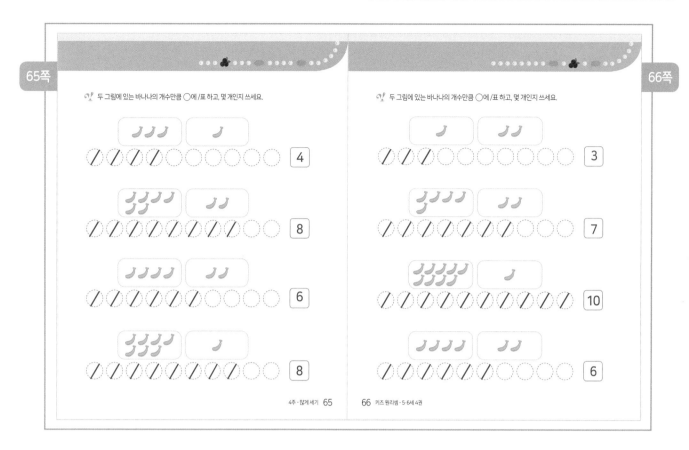

2일 수를 모아서 ◯

공부한 날 : 월 일

2일

두 수만큼 ◯를 그리고, 몇 개인지 쓰세요.

두 수만큼 ◯에 /표 하고, 몇 개인지 쓰세요.

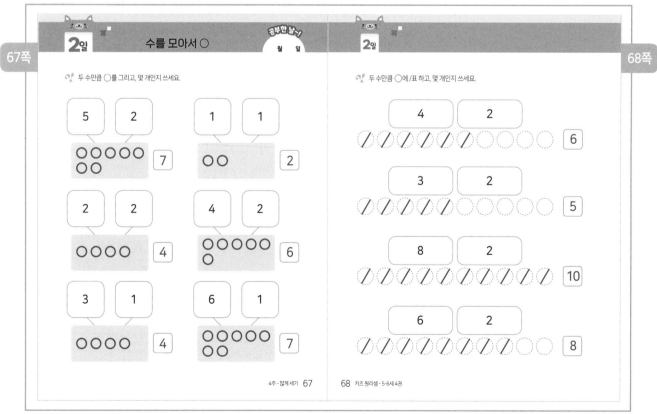

두 수만큼 ◯에 /표 하고, 몇 개인지 쓰세요.

5	1	6
7	2	9
9	1	10
8	1	9

왼쪽 그림보다 개수가 1 많은 것을 선으로 이으세요.

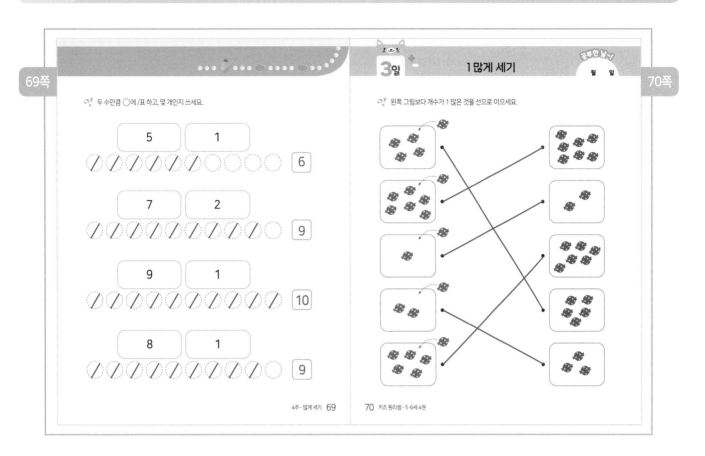

◯를 1개 더 색칠하고 색칠된 ◯의 개수를 쓰세요.

| 4 |
| 2 |
| 6 |
| 8 |
| 5 |
| 10 |
| 3 |
| 7 |

◯ 1개를 더 그리고 처음 그림보다 1 많은 수를 쓰세요.

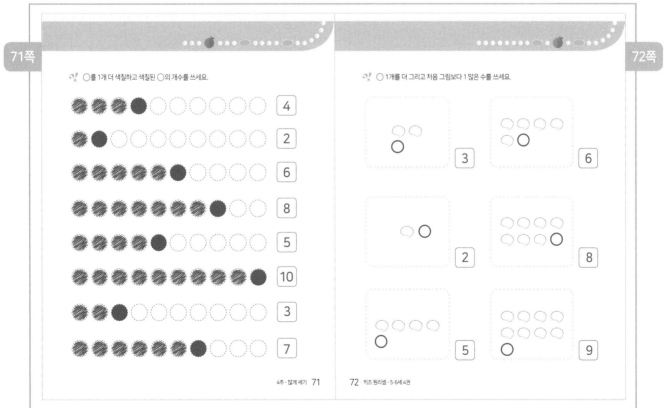

3 6
2 8
5 9

4일 2 많게 세기

왼쪽 그림보다 개수가 2 많은 것을 선으로 이으세요.

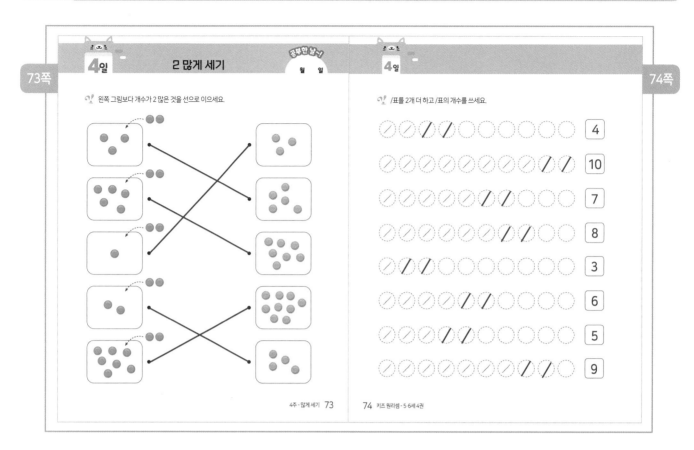

/표를 2개 더 하고 /표의 개수를 쓰세요.

	4
	10
	7
	8
	3
	6
	5
	9

○ 2개를 더 그리고 처음 그림보다 2 많은 수를 쓰세요.

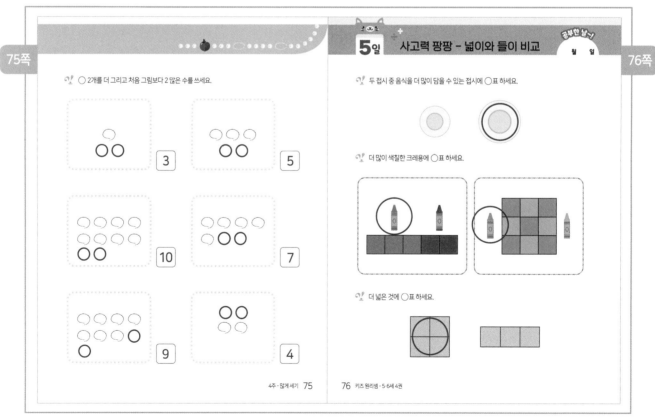

3

5

10

7

9

4

두 접시 중 음식을 더 많이 담을 수 있는 접시에 ○표 하세요.

더 많이 색칠한 크레용에 ○표 하세요.

더 넓은 것에 ○표 하세요.

물이 더 많이 들어가는 것에 ○표 하세요.

넓이를 바르게 비교한 동물에 ○표 하세요.

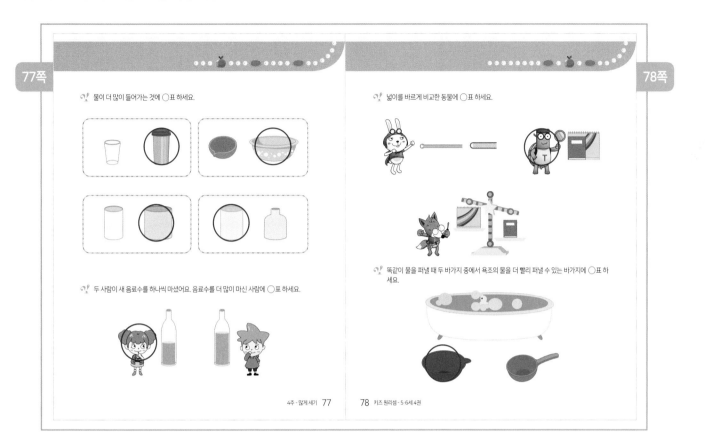

두 사람이 새 음료수를 하나씩 마셨어요. 음료수를 더 많이 마신 사람에 ○표 하세요.

똑같이 물을 퍼낼 때 두 바가지 중에서 욕조의 물을 더 빨리 퍼낼 수 있는 바가지에 ○표 하세요.

키즈 수학 전문가가 만든 연산 교재
원리샘

세분화된
원리 학습

다양한
유형의 연습

충분한
연습

성취도
확인

그 많은 문제를 풀고도 몰랐던

초등 사고력 수학의 원리 1
초등 사고력 수학의 전략 2

● 초등 사고력 수학의 원리 1

원리는 수학의 시작

● 초등 사고력 수학의 전략 2

문제해결은 수학의 끝

✓ **진정한 수학 실력은** 원리의 이해와 문제 해결 전략에서 나온다.

✓ **수학의 시작과 끝을** 제대로 알고 수학 실력 올리자!

✓ **재미있게 읽을 수 있는** 17년 초등 사고력 수학의 노하우

천종현수학연구소의 교재 흐름도

4세	5세	6세	7세	초1	

유아 자신감 수학 만 3세 / **유아 자신감 수학** 만 4세 / **유아 자신감 수학** 만 5세

유아 자신감 수학 : 유아 수학 입문서
- 처음에는 엄마, 아빠와 함께, 나중에는 아이 스스로
- 개념의 이해부터 적용까지

원리셈 : 기본 연산 학습서
- 매일 10분씩 원리로부터 실력까지 연산의 완성!!
- 다양한 형태의 문제와 충분한 연습으로 쉽고 재미있게

키즈 원리셈 5, 6세 / 키즈 원리셈 6, 7세 / 키즈 원리셈 예비 초등 7, 8세 / 초등 원리셈 초등1

TOP사고력 : 사고력 수학의 으뜸
- 수학적 직관력 / 문제 이해력 기르기
- 영역별 나선형식 반복 학습 구조

탑사고력 K 단계 / 탑사고력 P 단계 / 탑사고력 A 단계

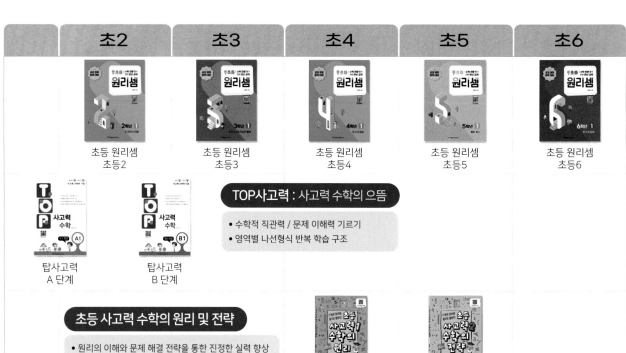

초2	초3	초4	초5	초6

초등 원리셈 초등2 / 초등 원리셈 초등3 / 초등 원리셈 초등4 / 초등 원리셈 초등5 / 초등 원리셈 초등6

탑사고력 A 단계 / 탑사고력 B 단계

TOP사고력 : 사고력 수학의 으뜸
- 수학적 직관력 / 문제 이해력 기르기
- 영역별 나선형식 반복 학습 구조

초등 사고력 수학의 원리 및 전략
- 원리의 이해와 문제 해결 전략을 통한 진정한 실력 향상
- 재미있게 읽을 수 있는 초등 사고력 수학의 노하우

초등사고력 수학의 원리

초등사고력 수학의 전략